中國美術全集

宗教雕塑二

全國百佳圖書出版單位
APTIME
時代出版傳媒股份有限公司
時代出版　黃　山　書　社

目　　録

唐（公元六一八年至公元九○七年）

頁碼	名稱	時代	發現地	收藏地
297	木雕八臂觀音像	唐	甘肅敦煌市莫高窟藏經洞	法國巴黎吉美美術館
297	木雕十一面觀音像	唐		日本東京國立博物館
298	木雕十一面觀音像	唐		日本山口縣神福寺
298	彩繪木雕菩薩立像	唐		遼寧省旅順博物館
299	彩繪木雕菩薩立像	唐		遼寧省旅順博物館
299	木雕羅漢頭像	唐		上海博物館
300	鎏金銀捧盤菩薩像	唐	陝西扶風縣法門寺	陝西省法門寺博物館
300	石雕佛坐像	南詔	雲南巍山彝族回族自治縣圖山南詔遺址	雲南省巍山縣文物管理所
301	石雕觀世音菩薩立像	南詔	雲南巍山彝族回族自治縣圖山南詔遺址	雲南省巍山縣文物管理所
301	銀觀世音菩薩像	南詔	雲南大理市崇聖寺	雲南省博物館
302	鎏金銀金翅鳥像	南詔	雲南大理市崇聖寺	雲南省博物館
303	彩繪泥塑佛坐像	公元6-7世紀	新疆吐魯番市高昌故城佛寺遺址	德國柏林印度藝術博物館
304	彩繪木雕佛頭像	公元6-7世紀	新疆圖木舒克市	德國柏林印度藝術博物館
304	彩繪木雕佛坐像	公元6-7世紀	新疆圖木舒克市	德國柏林印度藝術博物館
305	木雕佛立像	公元6-7世紀	新疆吐魯番市高昌故城遺址	美國紐約大都會博物館
305	泥塑菩薩立像	公元6-7世紀	新疆焉耆回族自治縣明屋佛寺遺址	英國倫敦大英博物館
306	泥塑天王像	公元6-7世紀	新疆焉耆回族自治縣明屋佛寺遺址	英國倫敦大英博物館
307	陶菩薩頭像	公元6-7世紀	新疆焉耆回族自治縣明屋佛寺遺址	英國倫敦大英博物館
308	彩繪泥塑女神像	公元6-7世紀	新疆吐魯番市木頭溝	韓國首爾國立中央博物館
308	泥塑佛立像	公元7世紀	新疆焉耆回族自治縣	中國國家博物館
309	泥塑菩薩頭像	公元7世紀	新疆吐魯番市高昌故城寺院遺址	德國柏林印度藝術博物館
309	彩繪泥塑菩薩頭像	公元7世紀	新疆吐魯番市高昌故城寺院遺址	德國柏林印度藝術博物館
310	彩繪泥塑菩薩像	公元7世紀	新疆圖木舒克市	德國柏林印度藝術博物館
311	泥塑供養人頭像	公元7世紀	新疆焉耆回族自治縣錫克沁寺院遺址	新疆維吾爾自治區博物館
311	泥塑供養人頭像	公元7世紀	新疆焉耆回族自治縣錫克沁寺院遺址	新疆維吾爾自治區博物館
312	泥塑供養人頭像	公元7世紀	新疆焉耆回族自治縣錫克沁寺院遺址	新疆維吾爾自治區博物館
312	彩繪泥塑菩薩像	公元7-8世紀	新疆庫爾勒市碩爾楚克	德國柏林印度藝術博物館
313	彩繪泥塑佛坐像	公元7-8世紀	新疆庫爾勒市碩爾楚克	德國柏林印度藝術博物館
314	泥塑婆羅門坐像	公元7-8世紀	新疆庫爾勒市碩爾楚克	德國柏林印度藝術博物館
315	彩繪泥塑菩薩像	公元8世紀	新疆吐魯番市交河故城遺址	德國柏林印度藝術博物館
315	彩繪泥塑天王像	公元8-9世紀	新疆吐魯番市高昌故城遺址	德國柏林印度藝術博物館
316	彩繪泥塑惡鬼像	公元8-9世紀	新疆吐魯番市高昌故城遺址	德國柏林印度藝術博物館
316	彩繪泥塑女神像	公元8-9世紀	新疆吐魯番市勝金口寺院遺址	德國柏林印度藝術博物館
317	彩繪泥塑男神像	公元8-9世紀	新疆吐魯番市交河故城遺址	德國柏林印度藝術博物館

五代十國（公元九〇七年至公元九六〇年）

遼北宋西夏金南宋（公元九一六年至公元一二七九年）

頁碼	名稱	時代	發現地	收藏地
409	鐵守護神將像	北宋	河南登封市中岳廟	
411	鐵守護神將像	北宋	山西太原市晉祠	
412	鐵蹲獅像	北宋	山西太原市晉祠	
412	鐵羅漢像	北宋	山西太原市	山西博物院
413	木雕羅漢坐像	北宋	廣東韶關市曲江區南華寺	故宮博物院
413	木雕羅漢坐像	北宋	廣東韶關市曲江區南華寺	廣東省博物館
414	木雕觀世音菩薩坐像	北宋		美國紐約大都會博物館
415	漆金彩繪木雕觀世音菩薩坐像	北宋		上海博物館
415	彩繪木雕菩薩坐像	北宋		美國私人處
417	木雕力士立像	北宋	河北定州市靜志寺	河北定州市博物館
418	貼金木雕天王立像	北宋	浙江瑞安市仙岩寺	浙江省博物館
418	木雕侍者立像	北宋	山西太原市真武廟	山西博物院
419	夾紵佛坐像	北宋		美國華盛頓弗利爾美術館
419	瓷菩薩像	北宋	浙江溫州市白象塔	浙江省溫州市博物館
420	彩繪泥塑佛頭	西夏	寧夏賀蘭縣宏佛塔	寧夏博物館
420	彩繪泥塑佛頭	西夏	寧夏賀蘭縣宏佛塔	寧夏博物館
421	彩繪泥塑羅漢像	西夏	寧夏賀蘭縣宏佛塔	寧夏博物館
421	彩繪泥塑羅漢像	西夏	寧夏賀蘭縣宏佛塔	寧夏博物館
422	彩繪泥塑羅漢頭像	西夏	寧夏賀蘭縣宏佛塔	寧夏回族自治區西夏博物館
422	彩繪泥塑羅漢頭像	西夏	寧夏賀蘭縣宏佛塔	寧夏回族自治區西夏博物館
423	彩繪泥塑天官像	西夏	寧夏青銅峽市	寧夏博物館
423	彩繪泥塑天官像	西夏	寧夏青銅峽市	寧夏博物館
424	彩繪泥塑菩薩像	西夏	內蒙古額濟納旗綠城佛寺	內蒙古博物院
424	彩繪泥塑布袋和尚像	西夏	內蒙古額濟納旗綠城佛寺	內蒙古博物院
425	鎏金銅普賢菩薩像	西夏	寧夏銀川市新華街	寧夏博物館
426	鎏金銅天王像	西夏	寧夏銀川市新華街	寧夏博物館
426	鎏金銅韋馱像	西夏	寧夏銀川市新華街	寧夏博物館
427	鎏金銅寒山拾得像	西夏	寧夏銀川市新華街	寧夏博物館
428	彩繪泥塑毗盧遮那佛像	金	山西大同市善化寺	
429	彩繪泥塑迦葉像	金	山西大同市善化寺	
429	彩繪泥塑阿難像	金	山西大同市善化寺	
430	彩繪泥塑脅侍菩薩像	金	山西大同市善化寺	
430	彩繪泥塑地天像	金	山西大同市善化寺	
431	彩繪泥塑韋馱天像	金	山西大同市善化寺	

頁碼	名稱	時代	發現地	收藏地
431	彩繪泥塑火天像	金	山西大同市善化寺	
432	彩繪泥塑摩利支天像	金	山西大同市善化寺	
433	彩繪泥塑伊舍那天像	金	山西大同市善化寺	
433	彩繪泥塑菩提樹天像	金	山西大同市善化寺	
434	彩繪泥塑羅剎天像	金	山西大同市善化寺	
435	彩繪泥塑北方天王像	金	山西大同市善化寺	
435	彩繪泥塑大吉祥功德天像	金	山西大同市善化寺	
436	彩繪泥塑阿彌陀佛像	金	山西朔州市崇福寺	
437	彩繪泥塑脅侍菩薩像	金	山西朔州市崇福寺	
437	彩繪泥塑脅侍菩薩像	金	山西朔州市崇福寺	
438	彩繪泥塑天王像	金	山西朔州市崇福寺	
438	彩繪泥塑文殊菩薩像	金	山西五臺縣佛光寺	
439	彩繪泥塑東岳聖母坐像	金	山西晋城市東岳廟	
439	石雕佛坐像	金	山西交城縣白雲寺	山西博物院
440	彩繪木雕觀世音菩薩像	金		加拿大多倫多安大略皇家博物館
440	漆金彩繪木雕大日如來像	金		上海博物館
441	加彩青白瓷觀世音菩薩坐像	南宋		上海博物館
441	瓷道教人物像	南宋	浙江德清縣乾元山吳奧墓	浙江省德清縣博物館
442	銅文殊菩薩像	宋		故宮博物院
442	銅普賢菩薩像	宋		故宮博物院
443	石雕經幢	大理國	雲南昆明市拓東路原地藏寺	
444	石雕經幢基座	大理國	雲南昆明市拓東路原地藏寺	
445	石雕增長天王像	大理國	雲南昆明市拓東路原地藏寺	
446	石雕廣目天王像	大理國	雲南昆明市拓東路原地藏寺	
446	石雕持國天王像	大理國	雲南昆明市拓東路原地藏寺	
447	石雕力士像	大理國	雲南昆明市拓東路原地藏寺	
448	石雕水月觀音像	大理國	雲南大理市崇聖寺	雲南省博物館
448	鎏金銅楊枝觀世音菩薩像	大理國	雲南大理市弘聖寺	雲南省大理白族自治州博物館
449	銅地藏菩薩像	大理國	雲南大理市弘聖寺	雲南省大理白族自治州博物館
449	鎏金銅大黑天像	大理國	雲南大理市崇聖寺	雲南省博物館
450	鎏金銅阿嵯耶觀世音菩薩像	大理國	雲南省	雲南省博物館
450	金阿嵯耶觀世音菩薩像	大理國	雲南大理市崇聖寺	雲南省博物館
451	銅强巴佛坐像	公元12–13世紀	西藏札達縣東嘎寺	西藏博物館
452	銅阿彌陀佛坐像	公元12–13世紀		中國文物信息咨詢中心

頁碼	名稱	時代	發現地	收藏地
452	銅蓮花手觀世音菩薩立像	公元12–13世紀		西藏博物館
453	彩繪泥塑金剛勇士像	公元12–13世紀	西藏阿里地區	西藏博物館
453	石雕法王像	公元12–13世紀		西藏博物館

元（公元一二七一年至公元一三六八年）

頁碼	名稱	時代	發現地	收藏地
454	彩繪泥塑二十八宿張月鹿像	元	山西晋城市玉皇廟	
455	彩繪泥塑二十八宿昂日鷄像	元	山西晋城市玉皇廟	
456	彩繪泥塑二十八宿女土蝠像	元	山西晋城市玉皇廟	
457	彩繪泥塑二十八宿斗木獬像	元	山西晋城市玉皇廟	
458	彩繪泥塑二十八宿虛日鼠像	元	山西晋城市玉皇廟	
459	彩繪泥塑二十八宿胃土雉像	元	山西晋城市玉皇廟	
460	彩繪泥塑二十八宿參水猿像	元	山西晋城市玉皇廟	
461	彩繪泥塑二十八宿翼火蛇像	元	山西晋城市玉皇廟	
462	彩繪泥塑十二元辰像	元	山西晋城市玉皇廟	
462	彩繪泥塑十二元辰像	元	山西晋城市玉皇廟	
463	彩繪泥塑侍女像	元	山西晋城市玉皇廟	
464	彩繪泥塑侍女像	元	山西晋城市玉皇廟	
465	彩繪泥塑阿彌陀佛像	元	山西新絳縣福勝寺	
466	彩繪泥塑大勢至菩薩像	元	山西新絳縣福勝寺	
466	彩繪泥塑觀世音菩薩像	元	山西新絳縣福勝寺	
467	彩繪泥塑渡海觀音菩薩像	元	山西新絳縣福勝寺	
468	彩繪泥塑明王像	元	山西新絳縣福勝寺	
469	彩繪泥塑明王像	元	山西新絳縣福勝寺	
470	彩繪泥塑脅侍菩薩像	元	山西洪洞縣廣勝寺	
470	彩繪泥塑脅侍菩薩像	元	山西洪洞縣廣勝寺	
471	彩繪泥塑阿彌陀佛像	元	山西洪洞縣廣勝寺	
472	彩繪泥塑普賢菩薩像	元	山西洪洞縣廣勝寺	
472	彩繪泥塑觀世音菩薩像	元	山西洪洞縣廣勝寺	
473	彩繪泥塑地藏菩薩像	元	山西洪洞縣廣勝寺	
474	彩繪泥塑佛坐像	元	山西洪洞縣廣勝寺	

明清（公元一三六八年至公元一九一一年）

頁碼	名稱	時代	發現地	收藏地
496	彩繪木雕釋迦佛坐像	明	山西洪洞縣廣勝寺上寺	
497	彩繪木雕文殊菩薩像	明	山西洪洞縣廣勝寺上寺	
498	彩繪木雕牽獅獠蠻像	明	山西洪洞縣廣勝寺上寺	
498	彩繪木雕牽象拂菻像	明	山西洪洞縣廣勝寺上寺	
499	彩繪泥塑力士像	明	山西平遥縣橋頭村雙林寺	
500	彩繪泥塑北方多聞天王像	明	山西平遥縣橋頭村雙林寺	
500	彩繪泥塑梵天像	明	山西平遥縣橋頭村雙林寺	
501	彩繪泥塑金剛手菩薩像	明	山西平遥縣橋頭村雙林寺	
502	彩繪泥塑文殊菩薩像	明	山西平遥縣橋頭村雙林寺	
502	彩繪泥塑普賢菩薩像	明	山西平遥縣橋頭村雙林寺	
503	彩繪泥塑渡海觀音像	明	山西平遥縣橋頭村雙林寺	
504	彩繪泥塑脅侍菩薩像	明	山西平遥縣橋頭村雙林寺	
504	彩繪泥塑脅侍菩薩像	明	山西平遥縣橋頭村雙林寺	
505	彩繪泥塑自在觀音像	明	山西平遥縣橋頭村雙林寺	
506	彩繪泥塑韋馱像	明	山西平遥縣橋頭村雙林寺	
507	彩繪泥塑觀音傳經像	明	山西平遥縣橋頭村雙林寺	
508	彩繪泥塑準提觀音像	明	山西平遥縣橋頭村雙林寺	
509	彩繪泥塑衆菩薩像	明	山西平遥縣橋頭村雙林寺	
510	彩繪泥塑羅漢像	明	山西平遥縣橋頭村雙林寺	
510	彩繪泥塑羅漢像	明	山西平遥縣橋頭村雙林寺	
511	彩繪泥塑羅漢與侍者像	明	山西平遥縣橋頭村雙林寺	
512	彩繪泥塑羅漢像	明	山西靈石縣蘇溪村資壽寺	
513	彩繪泥塑羅漢像	明	山西靈石縣蘇溪村資壽寺	
514	彩繪泥塑羅漢像	明	山西靈石縣蘇溪村資壽寺	
515	彩繪泥塑閻王像	明	山西靈石縣蘇溪村資壽寺	
515	彩繪泥塑閻王像	明	山西靈石縣蘇溪村資壽寺	
516	彩繪泥塑牛頭像	明	山西靈石縣蘇溪村資壽寺	
516	彩繪泥塑馬面像	明	山西靈石縣蘇溪村資壽寺	
517	彩繪泥塑天王像	明	山西新絳縣福勝寺	

頁碼	名稱	時代	發現地	收藏地
517	彩繪泥塑天王像	明	山西新絳縣福勝寺	
518	彩繪泥塑羅漢像	明	山西新絳縣福勝寺	
519	彩繪泥塑羅漢像	明	山西新絳縣福勝寺	
519	彩繪泥塑羅漢像	明	山西新絳縣福勝寺	
520	彩繪泥塑藥師佛像	明	山西繁峙縣公主寺	
521	彩繪泥塑迦葉像	明	山西繁峙縣公主寺	
521	彩繪泥塑阿難像	明	山西繁峙縣公主寺	
522	彩繪泥塑梵天像	明	山西繁峙縣公主寺	
522	彩繪泥塑帝釋天像	明	山西繁峙縣公主寺	
523	彩繪泥塑羅漢像	明	山西繁峙縣公主寺	
524	彩繪泥塑羅漢像	明	山西繁峙縣公主寺	
524	彩繪泥塑羅漢像	明	山西繁峙縣公主寺	
525	彩繪泥塑文殊菩薩像	明	山西五臺縣殊像寺	
526	彩繪泥塑供養婦人像	明	山西五臺縣圓照寺	
526	彩繪泥塑供養人像	明	山西五臺縣圓照寺	
527	彩繪泥塑群像	明	山西長治市觀音堂	
528	彩繪泥塑菩薩和諸天群像	明	山西長治市觀音堂	
529	彩繪泥塑菩薩像	明	山西長治市觀音堂	
529	彩繪泥塑天人像	明	山西長治市觀音堂	
530	彩繪泥塑羅漢像	明	山西長治市觀音堂	
530	彩繪泥塑羅漢像	明	山西長治市觀音堂	
531	彩繪泥塑毗盧遮那佛像	明	山西隰縣千佛庵	
532	彩繪泥塑龍華三會	明	山西隰縣千佛庵	
533	彩繪泥塑龕門	明	山西隰縣千佛庵	
534	彩繪泥塑菩薩群像	明	山西隰縣千佛庵	
535	彩繪泥塑弟子像	明	山西隰縣千佛庵	
536	彩繪泥塑文殊菩薩像	明	山西陽曲縣不二寺	
537	彩繪泥塑天王像	明	山西陽曲縣不二寺	
537	彩繪泥塑天王像	明	山西陽曲縣不二寺	
538	彩繪泥塑諸天像	明	北京海淀區大慧寺	
539	彩繪泥塑摩利支天和韋馱天像	明	北京海淀區大慧寺	
540	彩繪泥塑諸天像	明	北京海淀區大慧寺	
541	彩繪泥塑帝釋天像	明	北京海淀區大慧寺	
541	彩繪泥塑廣目天王像	明	北京海淀區大慧寺	

頁碼	名稱	時代	發現地	收藏地
542	彩繪泥塑摩睺羅伽像	明	北京海淀區大慧寺	
542	彩繪泥塑辯才天像	明	北京海淀區大慧寺	
543	彩繪泥塑群像	明	陝西藍田縣水陸庵	
544	彩繪泥塑神將像	明	陝西藍田縣水陸庵	
545	彩繪泥塑渡海觀音像	明	四川新津縣觀音寺	
546	木雕千手觀音菩薩像	明	四川平武縣報恩寺	
547	琉璃金剛像	明	山西洪洞縣廣勝寺	
548	琉璃童子騎龍像	明	山西洪洞縣廣勝寺	
549	銅張三丰像	明		湖北省武當山博物館
550	鎏金銅藥師佛像	明		首都博物館
550	鎏金銅阿閦佛像	明		故宮博物院
551	鎏金銅佛坐像	明		河北省承德市避暑山莊博物館
551	鎏金銅無量壽佛像	明		故宮博物院
552	銅觀世音菩薩坐像	明		首都博物館
552	鐵羅漢像	明		故宮博物院
553	泥塑關羽像	明	山西太原市關帝廟	故宮博物院
553	瓷觀世音菩薩坐像	明		重慶市博物館
554	瓷達摩渡海像	明		重慶市博物館
554	瓷道教人物像	明		故宮博物院
555	三彩閻羅王像	明	山西長治市	加拿大多倫多皇家安大略博物館
556	鎏金銅綠度母像	公元14−15世紀		中國文物信息咨詢中心
556	鎏金銅千手千眼觀音菩薩像	公元14−15世紀		西藏博物館
557	彩繪泥塑羅漢像	清	雲南昆明市筇竹寺	
559	石雕張果老像	清	雲南昆明市	
559	石雕鐵拐李像	清	雲南昆明市	
560	木雕邁達拉佛像	清	北京雍和宮	
561	鎏金銅强巴佛像	清	西藏日喀則市扎什倫布寺	
562	鎏金銅時輪壇城	清	西藏拉薩市布達拉宮	
563	鎏金銅佛坐像	清		遼寧省旅順博物館
564	鎏金銅無量壽佛樹	清		河北省承德市避暑山莊博物館
565	銅無量壽佛像	清		西藏博物館
565	鎏金銅四臂觀世音菩薩像	清		首都博物館
566	銅大威德金剛像	清		西藏博物館
567	嵌珠金菩薩像	清		故宮博物院

頁碼	名稱	時代	發現地	收藏地
568	金釋迦牟尼佛像	清		故宮博物院
568	金漆木雕觀世音菩薩像	清		故宮博物院
569	木雕儺堂戲龍王面具	清	貴州北部	
569	木雕儺堂戲蔡陽面具	清	貴州沿河土家族自治縣	
570	漆布護法鬼王面具	清		西藏自治區拉薩市布達拉宮
570	漆布護法神面具	清		西藏自治區拉薩市布達拉宮
571	年　表			

貼金彩繪石雕舍利寶帳

唐

陝西西安市臨潼區新豐鎮慶山寺地宮出土。

高102、底寬82厘米。

寶帳由帳身、寶蓋和基座組成。帳身中空，用以放置舍利函，外側四面淺浮雕"釋迦説法圖"、"涅槃圖"、"荼昆圖"和"舍利供養圖"。寶蓋下部正中刻"釋迦如來舍利寶帳"銘，字口內貼金，蓋頂爲蓮花座寶珠，寶蓋四角插銅製花枝。基座最上層爲圓形仰覆蓮座，下部爲方形束腰疊澀座，前側兩角上插銅製花枝。寶帳表面有彩繪和貼金痕迹。

現藏陝西省西安市臨潼區博物館。

唐（公元六一八年至公元九〇七年）

贴金彩绘石雕舍利宝帐局部之一

贴金彩绘石雕舍利宝帐局部之二

貼金彩繪石雕舍利寶帳局部之三

貼金彩繪石雕舍利寶帳局部之四

唐
（
公
元
六
一
八
年
至
公
元
九
〇
七
年
）

石雕盝頂舍利函

唐

陝西藍田縣蔡拐村法池寺遺址出土。

高32、寬32厘米。

頂蓋正中爲素面，盝頂叠澀和蓋側面四周均刻流雲

紋。函四面分別爲：衆人抬一乘豪華的大轎；在大殿
前向大罐中盛放舍利；騎馬和象運送舍利。

現藏陝西省藍田縣文物管理所。

石雕盝頂舍利函局部之一

石雕盝頂舍利函局部之二

石雕盝頂舍利函局部之三

彩繪石雕阿育王塔

唐

陝西扶風縣法門寺地宮出土。

高78.5厘米。

塔由塔座、塔身、塔蓋和塔剎組成，銅鑄塔剎。塔身
四面各開一門，門兩側各有一尊菩薩；塔座束腰部
分每面各有三個金剛力士首面。

現藏陝西省法門寺博物館。

磚雕伎樂天

唐

甘肅靈臺縣寺咀鄉出土。

高36.5、寬35.7厘米。

四塊磚雕上各雕一身伎樂天，
均面形豐圓，高髻花冠，結跏
趺坐于蓮花上奏樂。分別奏播
鼓、方響、小鑼和拍板。

現藏甘肅省靈臺縣博物館。

磚雕門楣（上圖）

唐

位于河南安陽市修定寺塔。

券拱門額上方中央爲一鋪首，旁邊爲龍、力士等。周圍菱形格内浮雕象、馬、飛天、力士、蓮花等圖案。

塔身磚雕

唐

位于河南安陽市修定寺塔。

塔身磚雕内容豐富，有佛、菩薩、力士、獅、象、馬、獸面及蓮花、忍冬等紋飾共七十餘種。

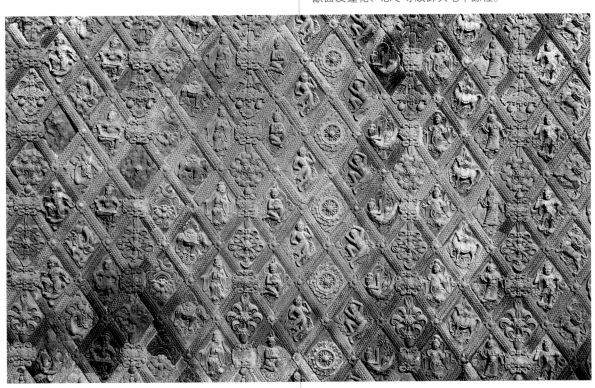

唐（公元六一八年至公元九〇七年）

磚雕四臂力士像

唐

位于河南安陽市修定寺塔。

高120厘米。

力士束髻，裸上身，繞帔帛，下束裙，四臂，有兩手上舉環和三股叉，形象威猛。

磚雕持蛇力士像
唐
位于河南安陽市修定寺塔。
力士赤裸全身，肌肉凸起，雙手握蛇。蛇張口吐舌，情狀可怖。

磚雕三尊像及七佛像
唐
陝西西安市大慈恩寺出土。
高15.5、寬11、厚3.3厘米。
主像爲一佛二菩薩三尊像，主佛身後爲七身小坐佛。每尊像均置于蓮座之上，蓮座爲同莖所長。
現藏陝西省西安市文物保護考古所。

鎏金銅阿彌陀佛坐像

唐

陝西西安市土門李家村出土。

高24厘米。

此像由阿彌陀佛、觀世音菩薩、大勢至菩薩三尊像和背
光、蓮莖、六曲座以及最底部的八曲座組成。

現藏陝西省西安市文物保護考古所。

鎏金銅佛立像
唐
陝西藍田縣出土。
佛着圓領袈裟，質薄透體。
現藏陝西歷史博物館。

鎏金銅佛坐像
唐
陝西扶風縣建和鄉夏家窖藏出土。
高13.5厘米。
佛有頭光，戴寶冠，身挂瓔珞，坐于蓮座上。
現藏陝西省扶風縣博物館。

鎏金銅佛菩薩像

唐

甘肅鎮原縣出土。

高24.8厘米。

長方形壺門座，其上蓮臺引出一高臺，佛結跏趺坐于其
上，有圓形背光。佛兩側爲二菩薩。

現藏甘肅省鎮原縣博物館。

鎏金銅佛坐像

唐

甘肅平涼市出土。

高18.6厘米。

佛結跏趺坐于束腰叠澀式高臺座，頭光和身光由捲草紋和火焰紋組成。

現藏甘肅省博物館。

鎏金銅佛坐像

唐

河北河間市李子口村出土。

高36厘米。

佛結跏趺坐于束腰高座上，身後爲鏤雕蓮瓣形忍冬紋背光。

現藏河北省博物館。

鎏金銅坐佛像

唐

浙江杭州市雷峰塔遺址出土。

高68厘米。

佛火焰狀背光，結跏趺坐于蓮座上。一立龍承托蓮座。

現藏浙江省文物考古研究所。

鎏金銅佛坐像

唐

高19.4厘米。

佛高肉髻，内着僧祇支，外披雙領下垂式袈裟，結跏趺坐。

現藏上海博物館。

鎏金銅十一面觀音立像
唐
甘肅天水市秦州區水月寺收集。
高76.9厘米。
觀音十一面六臂，赤足立于三層臺座上。
現藏甘肅省天水市博物館。

鎏金銅觀世音菩薩立像
唐
甘肅出土。
高14厘米。
菩薩頭戴化佛冠，右手持楊枝，左手提净瓶。
現藏甘肅省博物館。

唐（公元六一八年至公元九〇七年）

鎏金銅菩薩立像

唐

高34.8厘米。

菩薩束高髻，袒上身，挂長瓔珞，戴項圈、臂釧，身繞帔帛，下束裙，左手提净瓶。

現藏美國哈佛大學福格美術館。

銅觀世音菩薩立像

唐

高52厘米。

頭戴化佛寶冠，袒上身，飾項圈、胸飾、臂釧和瓔珞等。左臂下垂，右臂彎曲向上。

現藏法國巴黎吉美美術館。

鎏金銅迦葉像
唐
河北河間市李子口村出土。
高12厘米。
迦葉爲老者形象，右手撫胸，左手向斜下平伸。
現藏河北省河間市文物保護管理所。

鎏金銅阿難像
唐
河北河間市李子口村出土。
高12.5厘米。
阿難爲青年形象，左手持長莖蓮花，右臂下垂。
現藏河北省河間市文物保護管理所。

唐（公元六一八年至公元九〇七年）

鎏金銅羅漢像
唐
河北河間市李子口村出土。
高14.2厘米。
羅漢爲胡僧形象，左手托物，右手握瓶。
現藏河北省河間市文物保護管理所。

鎏金銅力士像
唐
河北河間市李子口村出土。
高17.5厘米。
力士頭戴冠，上身裸露，下着短裙，身披長巾。
現藏河北省河間市文物保護管理所。

銅女道士像

唐

甘肅出土。

高12厘米。

女道士梳牛心髻，額有白毫，身着雙領下垂道袍，袖手而立。圓形頭光，上飾三顆火焰寶珠。

現藏甘肅省博物館。

鐵彌勒佛倚坐像

唐

陝西西安市靜法寺出土。

高185厘米。

佛像表面殘留部分纖維，其上原應塗漆，漆乾之後再貼以金箔。

現藏陝西省西安市文物保護考古所。

夾紵鑒真和尚坐像

唐

高80厘米。

鑒真和尚内着交領衫，外披袒右袈裟，結跏趺坐，手作禪定印。坐像製作于唐廣德元年（公元763年）。夾紵爲一種脫胎漆器工藝，創于東晋時期。其工藝爲把木胎或泥胎模用布料數道漆裱，然後脫胎，再加上填灰、上漆、打磨、裝飾等十幾道工序而成。

現藏日本奈良唐招提寺開山堂。

木雕十一面觀音像

唐

高42.1厘米。

觀音頭頂十面，身佩瓔珞，左手持净瓶，右手捻珠，赤足踏蓮臺。

現藏日本東京國立博物館。

木雕八臂觀音像

唐

出于甘肅敦煌市莫高窟藏經洞。

高85.5厘米。

菩薩頭頂部殘，可能原爲十一面八臂觀音像。

現藏法國巴黎吉美美術館。

木雕十一面觀音像

唐

高44.7厘米。

觀音頭部和面部等處有損傷，佩飾華麗。

現藏日本山口縣神福寺。

彩繪木雕菩薩立像

唐

高89厘米。

菩薩戴高花冠，長髮披肩，挂長瓔珞，身繞帔帛，左手提香囊，右手執蓮蕾，赤足立于蓮座上。

現藏遼寧省旅順博物館。

彩繪木雕菩薩立像

唐

高96.8厘米。

菩薩戴蓮花寶冠，袒上身，戴項圈，繞帔帛。像原通身繪彩。

現藏遼寧省旅順博物館。

木雕羅漢頭像

唐

高77厘米。

羅漢爲一老者形象，眉頭微蹙，深目高鼻，目中嵌琉璃珠，現失其一。此頭像應是寺院大型雕像的局部。

現藏上海博物館。

石雕佛坐像

南詔

雲南巍山彝族回族自治縣圖山南詔遺址出土。

高62厘米。

佛着袒右袈裟，雙手于胸前結法印，結跏趺坐于蓮臺上。

現藏雲南省巍山彝族回族自治縣文物管理所。

鎏金銀捧盤菩薩像

唐

陝西扶風縣法門寺地宮出土。

高38.5厘米。

菩薩頭戴化佛寶冠，上身袒露，斜披帔帛，下着大裙，蹲坐于蓮花座上。雙手捧荷葉盤，上置發願文金匾。

現藏陝西省法門寺博物館。

石雕觀世音菩薩立像

南詔

雲南巍山彝族回族自治縣圖山南詔遺址出土。

高41厘米。

菩薩右手執楊枝，左手持净瓶。

現藏雲南省巍山彝族回族自治縣文物管理所。

銀觀世音菩薩像

南詔

雲南大理市崇聖寺三塔千尋塔塔頂發現。

高28厘米。

菩薩頭戴寶冠，身披瓔珞及羽狀披肩，一手執蓮蕾，一手托鉢，背後有火焰形頭光。

現藏雲南省博物館。

鎏金銀金翅鳥像

南詔

雲南大理市崇聖寺三塔千尋塔塔頂發現。
高18.5厘米。
金翅鳥頭頂羽冠，頸及尾羽屈起呈火焰狀，
立于蓮花座之上。尾羽鑲水晶珠五顆。
現藏雲南省博物館。

彩繪泥塑佛坐像

公元6-7世紀

新疆吐魯番市高昌故城佛寺遺址出土。

高43.3厘米。

佛高肉髻，着通肩袈裟，手結禪定印。造像塗色，身上
部分施金箔。

現藏德國柏林印度藝術博物館。

彩繪木雕佛頭像

公元6-7世紀
新疆圖木舒克市出土。
高11厘米。
佛螺髻，額上有白毫。臉部貼金箔，頭髮塗青色，眼白塗白色，唇部塗紅色。
現藏德國柏林印度藝術博物館。

彩繪木雕佛坐像

公元6-7世紀
新疆圖木舒克市出土。
高16厘米。
佛着通肩袈裟，手結禪定印，結跏趺坐。
現藏德國柏林印度藝術博物館。

木雕佛立像

公元6-7世紀
新疆吐魯番市高昌故城遺址出土。
高36厘米。
佛袈裟輕薄透體，身後頭光和背光呈放射狀。
現藏美國紐約大都會博物館。

泥塑菩薩立像

公元6-7世紀
新疆焉耆回族自治縣明屋佛寺遺址出土。
高47厘米。
菩薩戴高花冠，身披瓔珞。
現藏英國倫敦大英博物館。

唐（公元六一八年至公元九○七年）

泥塑天王像
公元6–7世紀
新疆焉耆回族自治縣明屋
佛寺遺址出土。
殘高42.8厘米。
天王戴盔著甲，手持盾和長
兵器。
現藏英國倫敦大英博物館。

陶菩薩頭像

公元6–7世紀

新疆焉耆回族自治縣明屋佛寺遺址出土。

高22.5、寬23.6厘米。

菩薩束髮，頭戴花飾，耳飾花形大耳璫。整個頭部置于
聯珠紋圓環內。

現藏英國倫敦大英博物館。

唐（公元六一八年至公元九〇七年）

彩繪泥塑女神像

公元6-7世紀

新疆吐魯番市木頭溝出土。

高43厘米。

女神長髮披肩，胸部有飾物。

現藏韓國首爾國立中央博物館。

泥塑佛立像

公元7世紀

新疆焉耆回族自治縣出土。

高43.5厘米。

佛高肉髻，波狀髮，雙耳下垂，着圓領通肩袈裟。

現藏中國國家博物館。

泥塑菩薩頭像
公元7世紀
新疆吐魯番市高昌故城寺院遺址
出土。
高25厘米。
菩薩眉目清秀。
現藏德國柏林印度藝術博物館。

彩繪泥塑菩薩頭像
公元7世紀
新疆吐魯番市高昌故城寺院遺址
出土。
高28.1厘米。
菩薩頭髮前部編成花形，頭頂盤
髻。眉間刻一豎痕。
現藏德國柏林印度藝術博物館。

唐（公元六一八年至公元九〇七年）

彩繪泥塑菩薩像

公元7世紀

新疆圖木舒克市出土。

高72.7厘米。

菩薩有頭飾，袒右肩，上穿無袖衣，下着
大裳，臂戴花形臂釧。

現藏德國柏林印度藝術博物館。

泥塑供養人頭像

公元7世紀

新疆焉耆回族自治縣錫克沁寺院遺址出土。

殘高12.5厘米。

供養人爲一胡人老者形象，頭髻包巾，雙眼圓睜，留濃密鬚髯。

現藏新疆維吾爾自治區博物館。

泥塑供養人頭像

公元7世紀

新疆焉耆回族自治縣錫克沁寺院遺址出土。

殘高8.5厘米。

供養人爲女性，頭盤髮束髻，細目小嘴。

現藏新疆維吾爾自治區博物館。

泥塑供養人頭像

公元7世紀

新疆焉耆回族自治縣錫克沁寺院遺址
出土。

殘高7厘米。

供養人爲少女形象，束髮髻偏于頭
兩側，臉容清秀。

現藏新疆維吾爾自治區博物館。

彩繪泥塑菩薩像

公元7-8世紀

新疆庫爾勒市碩爾楚克出土。

殘高50.9厘米。

菩薩兩肩垂髮，露乳，穿裙，下身殘。

現藏德國柏林印度藝術博物館。

彩繪泥塑佛坐像

公元7-8世紀

新疆庫爾勒市碩爾楚克出土。

高102厘米。

佛波狀髮，袒右肩，内着僧祇支，外披袈裟，結跏
趺坐。

現藏德國柏林印度藝術博物館。

泥塑婆羅門坐像

公元7-8世紀

新疆庫爾勒市碩爾楚克出土。

左像高46.5、右像高42.5厘米。

兩像均大鬍鬚，上身披條帛，坐姿。

現藏德國柏林印度藝術博物館。

彩繪泥塑菩薩像

公元8世紀

新疆吐魯番市交河故城遺址出土。

高38厘米。

菩薩長髮披肩，眼中嵌黑石。像曾遭火燒，已變爲黑色。

現藏德國柏林印度藝術博物館。

彩繪泥塑天王像

公元8–9世紀

新疆吐魯番市高昌故城遺址出土。

高25.5厘米。

天王束髮戴鳥形冠，眼球外凸。

現藏德國柏林印度藝術博物館。

唐（公元六一八年至公元九〇七年）

彩繪泥塑惡鬼像

公元8-9世紀
新疆吐魯番市高昌故城遺址出土。
高21.4厘米。
惡鬼頭髮倒豎，兩目圓睜，張口露
齒。髮塗紅色，目塗綠色。
現藏德國柏林印度藝術博物館。

彩繪泥塑女神像

公元8-9世紀
新疆吐魯番市勝金口寺院遺
址出土。
高30.3厘米。
女神頭戴包頭巾，前額、兩頰和下
頦塗紅色花形裝飾。
現藏德國柏林印度藝術博物館。

木雕十一面觀音像

公元8-9世紀

新疆鄯善縣吐峪溝出土。

高38厘米。

觀音頭頂十面，上身披條帛，下身着裳，身上飾瓔珞、腕釧、臂釧和足釧等。

現藏德國柏林印度藝術博物館。

彩繪泥塑男神像

公元8-9世紀

新疆吐魯番市交河故城遺址出土。

殘高49.5厘米。

男神紅髮青身，雙手上舉。

現藏德國柏林印度藝術博物館。

五
代
十
國
（
公
元
九
○
七
年
至
公
元
九
六
○
年
）

石浮雕逾城出家（上圖）

五代十國・南唐

位于江蘇南京市栖霞寺舍利塔下部。

高46、寬93厘米。

釋迦乘馬于雲頭上，前有馬夫牽引，下方有衆人仰望。

石浮雕乳女奉糜

五代十國・南唐

位于江蘇南京市栖霞寺舍利塔下部。

高45、寬93厘米。

釋迦作禪定印，袒露右肩。佛前一女子捧鉢供奉。

石浮雕降伏惡魔（上圖）

五代十國・南唐

位于江蘇南京市栖霞寺舍利塔下部。

高45、寬93厘米。

正中須彌座上爲施禪定印釋迦，四周浮雕衆魔軍、猛獸
作攻擊狀，手執劍、鞭、風火輪等各種武器。

石浮雕涅槃焚棺

五代十國・南唐

位于江蘇南京市栖霞寺舍利塔下部。

高45、寬93厘米。

一側爲佛涅槃浮雕，佛身前後衆天人舉哀，二力士護
佑。另一側爲焚棺圖，烈焰升騰，佛身火化。

五
代
十
國
（
公
元
九
〇
七
年
至
公
元
九
六
〇
年
）

石浮雕龍

五代十國·南唐
位于江蘇南京市栖霞寺舍利塔下部。

高55、寬45厘米。
龍體盤結，頭生雙角，身飾龍鱗，足伸三爪，爲坐龍姿態。

石浮雕普賢菩薩像

五代十國・南唐
位于江蘇南京市栖霞寺舍利塔中部。
高145厘米。
普賢菩薩騎象，身後有頭光與身光，上懸華蓋，手執
經卷。

五代十國（公元九〇七年至公元九六〇年）

石浮雕力士像

五代十國·南唐

位于江蘇南京市栖霞寺舍利塔中部。

高180厘米。

力士裸上身，雙臂繞天衣，下着短裙，赤足立于山岩座上，左手執金剛杵，右手握拳。

石浮雕天王像

五代十國・南唐
位于江蘇南京市栖霞寺
舍利塔中部。
高151厘米。
天王束高髻，着鎧甲，手
持劍。

五代十國（公元九〇七年至公元九六〇年）

石浮雕天王像

五代十國·南唐
位于江蘇南京市栖霞寺舍利塔中部。
高148厘米。
天王着甲胄，有頭光。右手執鞭，足履高靴，立于山岩座上。

石浮雕地神

五代十國·南唐
位于江蘇南京市栖霞寺舍利塔下部。
高55厘米。
地神戴冠穿甲，左手撫膝，右手向上托舉。

彩繪泥塑釋迦牟尼佛像
五代十國・北漢
位于山西平遥縣郝洞村鎮國寺萬佛殿。

鎮國寺建于北漢天會七年（公元963年）。萬佛殿殿中央佛壇上有塑像十一身。此爲主尊釋迦牟尼佛，手作説法印。

五
代
十
國
（
公
元
九
〇
七
年
至
公
元
九
六
〇
年
）

彩繪泥塑弟子立像

五代十國・北漢

位于山西平遥縣郝洞村鎮國寺萬佛殿釋迦牟尼佛右側。

弟子青年形象，爲阿難。

彩繪泥塑弟子立像

五代十國・北漢

位于山西平遥縣郝洞村鎮國寺萬佛殿釋迦牟尼佛左側。

弟子老者形象，爲迦葉。

彩繪泥塑文殊菩薩坐像
五代十國·北漢

位于山西平遥縣郝洞村鎮國寺萬佛殿釋迦牟尼佛右側。
菩薩半跏坐，右腿下垂，右足踩蓮踏。

五代十國（公元九〇七年至公元九六〇年）

彩繪泥塑普賢菩薩坐像
五代十國·北漢

位于山西平遥縣郝洞村鎮國寺萬佛殿釋迦牟尼佛左側。
菩薩半跏坐，左腿下垂，左足踩蓮踏。

彩繪泥塑脅侍菩薩立像
五代十國·北漢
位于山西平遙縣郝洞村鎮國寺萬佛殿普賢菩薩左側。
菩薩袒上身，肩搭帔帛，下身着裙。

彩繪泥塑脅侍菩薩立像
五代十國·北漢
位于山西平遙縣郝洞村鎮國寺萬佛殿普賢菩薩右側。
菩薩袒上身，斜披帔帛，頸飾瓔珞，下身着裙。

五
代
十
國
（
公
元
九
〇
七
年
至
公
元
九
六
〇
年
）

彩繪泥塑天王像

五代十國·北漢
位于山西平遥縣郝洞
村鎮國寺萬佛殿文殊
菩薩右側。
天王虬髯，頭戴兜
鍪，身着鎧甲，手持
金剛杵。

彩繪泥塑天王像

五代十國·北漢

位于山西平遥縣郝洞
村鎮國寺萬佛殿普賢
菩薩左側。

天王面有鬚，頭戴兜
鍪，身着鎧甲，手握
金剛杵。

彩繪泥塑供養童子像

五代十國·北漢

位于山西平遥縣郝洞村鎮國寺萬佛殿釋迦牟尼佛左

前側。

童子裸上身，戴項飾，下身着裙，蹲跪于蓮座上。

石雕天王像

五代十國
高72厘米。
天王穿鎧戴盔，身下壓夜叉。
現藏上海博物館。

鎏金銅阿育王塔

五代十國·吴越

浙江金華市萬佛塔塔基出土。

高22.6、寬8厘米。

小型方形寶塔，塔基四面各刻五身小像。塔身有拱形佛
龕，内刻佛本生故事。塔身上部四角分立着四個馬耳形
裝飾。塔剎有七相輪。

現藏浙江省博物館。

鎏金銅觀世音菩薩立像

五代十國·南唐

高46.7厘米。

菩薩頭戴高冠，眉間有白毫，身飾華麗瓔珞，左手提
净瓶。

現藏日本私人處。

鎏金銅千手觀音菩薩倚坐像
五代十國
高33.7厘米。
菩薩頭戴化佛冠，胸前二手合十，其餘手中各持
法器。
現藏日本私人處。

彩繪石雕舍利棺側面之一

彩繪石雕舍利棺
五代十國
甘肅靈臺縣出土。
長45.6厘米。
棺身兩側分別浮雕涅槃圖和迎佛圖，并敷以紅、綠、白
和金等色。
現藏甘肅省博物館。

彩繪石雕舍利棺側面之二

彩繪泥塑十一面觀音菩薩立像
遼
位于天津薊縣獨樂寺觀音閣。
通高1627厘米。

獨樂寺觀音閣重建于遼統和二年（公元984年）。菩薩立于閣中央的須彌座上，穿越二、三層平臺，向上直入八角形藻井之內。

遼北宋西夏金南宋（公元九一六年至公元一二七九年）

彩繪泥塑十一面觀音菩薩立像局部

彩繪泥塑脅侍菩薩立像
遼
位于天津薊縣獨樂寺觀音閣
十一面觀音菩薩左側。
高305厘米。
菩薩頭戴五佛冠，袒上身，
佩項飾，下身着裙。

遼
北
宋
西
夏
金
南
宋
（
公
元
九
一
六
年
至
公
元
一
二
七
九
年
）

彩繪泥塑力士像

遼

位于天津薊縣獨樂寺山門。
二力士束髮戴冠，項飾瓔
珞，手持金剛杵。

彩繪泥塑釋迦牟尼佛像

遼

位于山西大同市下華嚴寺薄伽教藏殿中間。
佛高538厘米。

下華嚴寺薄伽教藏殿建于遼重熙七年（公元1038年），
殿內存遼代塑像二十九身。壇上塑像分中間、南次間和
北次間，并列三世佛。中間爲釋迦牟尼佛及其脅侍。

彩繪泥塑文殊菩薩像

遼

位于山西大同市下華嚴寺薄伽教藏殿釋迦牟尼佛左側。

菩薩頭戴圭形筒狀高冠，冠上裝飾蔓草紋。寶繒順肩下垂。左手平置于左腿上，右手作拈花狀。

彩繪泥塑普賢菩薩像

遼

位于山西大同市下華嚴寺薄伽教藏殿釋迦牟尼佛右側。

菩薩頭戴雲頭高鬟冠，身着天衣。左手平置于左腿上，右手作拈花狀。

遼北宋西夏金南宋（公元九一六年至公元一二七九年）

彩繪泥塑脅侍菩薩立像

遼

位于山西大同市下華嚴寺薄伽教藏殿釋迦牟尼佛右側。
菩薩頭戴筒狀冠，身繞帔帛，赤足立于蓮臺上。

彩繪泥塑脅侍菩薩立像

遼

位于山西大同市下華嚴寺薄伽教藏殿釋迦牟尼佛左側。
菩薩頭戴雲頭高髻冠，身繞帔帛，赤足立于蓮臺上。

彩繪泥塑燃燈佛像

遼

位于山西大同市下華嚴寺薄伽教藏殿北次間。

佛高538厘米。

燃燈佛居中，兩側爲弟子和菩薩，佛座前左右各一身供
養人像。燃燈佛座前坐佛爲後補。

彩繪泥塑脅侍菩薩立像
遼
位于山西大同市下華嚴寺薄伽教藏殿燃燈佛左側。
菩薩頭戴雲頭高冠，冠頂飾摩尼寶珠。寶珠形頭光。

彩繪泥塑脅侍菩薩立像
遼
位于山西大同市下華嚴寺薄伽教藏殿燃燈佛右側。
菩薩頭戴雲頭高冠，袒上身，頸飾寬項圈，下身着裙。

彩繪泥塑脅侍菩薩立像
遼

位于山西大同市下華嚴寺薄伽教藏殿燃燈佛右側。
菩薩頭戴雲頭高冠，冠頂飾蓮蕾，赤足立于蓮臺上。

彩繪泥塑供養人像

遼

位于山西大同市下華嚴寺薄伽教藏殿燃燈佛佛座左側。
此供養人男性形象，赤足舒坐于蓮臺上。

彩繪泥塑供養人像

遼

位于山西大同市下華嚴寺薄伽教藏殿燃燈佛佛座右側。
此供養人女性形象，髮際中分，舒相坐于蓮臺上。

彩繪泥塑彌勒佛像

遼

位于山西大同市下華嚴寺薄伽教藏殿南次間。

佛高538厘米。

彌勒佛居中，兩側爲菩薩。佛座前左右爲供養人。彌
勒佛座前坐佛爲後補。

彩繪泥塑地藏菩薩坐像

遼

位于山西大同市下華嚴寺薄伽教藏殿彌勒佛右側。

菩薩頭戴筒形高冠，冠上飾蔓草紋。結跏趺坐于仰蓮座上，左手平置于左腿，右手作拈花狀。

彩繪泥塑脅侍菩薩立像

遼

位于山西大同市下華嚴寺薄伽教藏殿彌勒佛右側。

菩薩頭戴筒狀高鬟冠，赤足立于蓮臺上。左手平端于胸前。

遼北宋西夏金南宋（公元九一六年至公元一二七九年）

彩繪泥塑脅侍菩薩立像
遼
位于山西大同市下華嚴寺薄伽教藏殿彌勒佛左側。
菩薩頭戴筒狀高冠，冠正面飾花朵。雙手合十，赤足而立。

彩繪泥塑脅侍菩薩立像
遼

位于山西大同市下華嚴寺薄伽教藏殿彌勒佛左側。
菩薩頭戴筒狀高冠，雙手上下相合持一物。

彩繪泥塑天王像
遼

位于山西大同市下華嚴寺薄伽教藏殿彌勒佛右側。
天王着甲冑，持劍而立。

彩繪泥塑天王像
遼

位于山西大同市下華嚴寺薄伽教藏殿彌勒佛左側。
天王着甲冑，持劍而立。

彩繪泥塑四方佛像

遼

位于山西應縣佛宮寺釋迦塔第三層。

佛宮寺釋迦塔又稱應縣木塔，建于遼清寧二年（公元
1056年），塔內五層，每層均有塑像。第三層塑東西
南北四方世界四佛。

彩繪泥塑釋迦牟尼佛像（上圖）

遼

位于山西應縣佛宮寺釋迦塔第五層。

中央塑釋迦牟尼佛，兩旁爲二弟子迦葉和阿難、二脅侍文殊菩薩和普賢菩薩。

彩繪石雕釋迦涅槃像

遼

內蒙古巴林右旗遼慶州釋迦佛舍利塔內出土。

高36、長60厘米。

釋迦右側臥，手托于頸下，枕蓮花枕。

現藏內蒙古自治區巴林右旗博物館。

遼北宋西夏金南宋（公元九一六年至公元一二七九年）

石浮雕釋迦涅槃函

遼

高41、長100、寬65厘米。

石函四立面分別浮雕釋迦佛涅槃、白氈裹尸、力士抬舍
利和佛出棺爲母説法場面，選二。

現藏首都博物館。

釋迦佛涅槃

白氈裹尸

彩繪石雕塔

遼

吉林農安縣萬金塔塔基出土。

殘高96.5厘米。

塔爲仿木結構四角三層塔。

現藏吉林省博物院。

鎏金銅佛坐像

遼

高20.7厘米。

螺髮，袒胸，着垂領袈裟，結跏趺坐于仰覆蓮座上。

現藏故宮博物院。

遼
北
宋
西
夏
金
南
宋
（
公
元
九
一
六
年
至
公
元
一
二
七
九
年
）

鎏金銅菩薩坐像

遼

河北圍場滿族蒙古族自治縣出土。

高28.5厘米。

菩薩戴高化佛冠，右手置于腿上，左手持經卷，端坐
于仰覆蓮瓣八角座上。座上有遼統和二十六年（公元
1008年）造像記。

現藏故宮博物院。

鎏金銅觀音菩薩像

遼

河北圍場滿族蒙古族自治縣出土。

高18.5厘米。

菩薩頭梳髻，戴高冠，冠上有化佛和捲草紋，半跏坐，
上身袒露。

現藏故宮博物院。

鎏金銅菩薩坐像

遼

高13厘米。

觀音頭戴高花冠，冠上飾小塔，左手握淨瓶。

現藏天津市文物公司。

鎏金銅菩薩立像

遼

高47.5厘米。

菩薩頭戴高冠，冠繒垂于頭側，身上佩飾華麗瓔珞和寶相花等。

現藏上海博物館。

遼北宋西夏金南宋（公元九一六年至公元一二七九年）

契丹女神金像

遼

內蒙古奈曼旗出土。

高11.2厘米。

錘鍱成型，周身有金絲環繞。女神頭戴寶冠，面容安
詳，雙手合十，身上有兩龍纏護，端坐于蓮臺，背後有
三重背光，爲薩滿教神祇形象。

現藏內蒙古民族博物館。

陶菩薩頭像

遼

內蒙古呼和浩特市白塔出土。

高45厘米。

菩薩戴高冠，神態安詳。

現藏內蒙古博物院。

瓷迦葉像

遼

内蒙古庫倫旗奈林稿蘇木前勿力布格村徵集。
高26.5厘米。
迦葉坐于凳上，身穿右衽長衫，外披袈裟。
現藏内蒙古民族博物館。

瓷阿難像

遼

内蒙古庫倫旗奈林稿蘇木前勿力布格村徵集。
高27厘米。
阿難坐于凳上，右手持念珠。
現藏内蒙古民族博物館。

彩繪泥塑廬山蓮社慧遠和尚

北宋
位于山東濟南市長清區萬德鎮靈岩寺千佛殿西第一身。

靈岩寺千佛殿東西各有二十身羅漢像。曾在西第十七身羅漢體腔壁上發現北宋治平三年（公元1066年）題記。慧遠和尚爲中年僧人形象，端坐，雙手作禪定印。

彩繪泥塑鶖鷺舍利弗尊者
北宋

位于山東濟南市長清區萬德鎮靈岩寺千佛殿西第五身。
舍利弗尊者爲青年僧人形象，右手下指，左手捏右袖口。

遼北宋西夏金南宋（公元九一六年至公元一二七九年）

彩繪泥塑靈岩寺開山法定和尚

北宋

位于山東濟南市長清區萬德鎮靈岩寺千佛殿西第十

二身。

法定和尚爲青年僧人形象，雙手平舉，掌心向内，十指相對。

彩繪泥塑太湖慧可神光尊者

北宋

位于山東濟南市長清區萬德鎮靈岩寺千佛殿西第十八身。

慧可神光尊者屈左腿，左臂置于左膝上，右手向前指點，作論辯狀。

宗教雕塑

遼北宋西夏金南宋（公元九一六年至公元一二七九年）

367

彩繪泥塑迦留陀夷尊者

北宋

位于山東濟南市長清區萬德鎮靈岩寺千佛殿東第五身。

迦留陀夷尊者爲老年僧人形象，雙手搭于膝前，仰首作思考狀。

彩繪泥塑雙桂堂神通破山和尚

北宋

位于山東濟南市長清區萬德鎮靈岩寺千佛殿東第十

七身。

破山和尚左手托巾，右手拈物，低目作思考狀。

遼北宋西夏金南宋（公元九一六年至公元一二七九年）

彩繪泥塑彌勒佛像

北宋

位于山西晋城市古青蓮寺正殿。

通高402厘米。

彌勒佛倚坐，左手撫膝，右手拇指與無名指相捻。佛
兩旁爲二弟子二菩薩。

彩繪泥塑菩薩像
北宋

位于山西晋城市古青蓮寺正殿彌勒佛左側。
菩薩高髮髻，半跏坐，左腿垂下。

遼北宋西夏金南宋（公元九一六年至公元一二七九年）

彩繪泥塑菩薩像
北宋

位于山西晋城市古青蓮寺正殿彌勒佛右側。
菩薩高髮髻，半跏坐，右腿垂下。

彩繪泥塑阿難像

北宋

位于山西晋城市青蓮寺釋迦殿。

阿難雙手合十，着履立于蓮臺上。

彩繪泥塑文殊菩薩像

北宋

位于山西晋城市青蓮寺釋迦殿。

菩薩半跏坐，左腿垂下，雙手殘。

彩繪泥塑閻君像

北宋

位于山西晋城市青蓮寺地藏殿。

閻君戴冠，有長髯，作忿怒狀。

彩繪泥塑閻君像

北宋

位于山西晋城市青蓮寺地藏殿。

閻君戴冠，作審訊狀。

彩繪泥塑閻君像
北宋
位于山西晋城市青蓮寺地藏殿。
閻君戴冠，面色祥和。

彩繪泥塑羅漢像
北宋
位于山西晋城市青蓮寺羅漢殿。
羅漢右手支頭，閉目作思考狀。

遼北宋西夏金南宋（公元九一六年至公元一二七九年）

彩繪泥塑聖母坐像及其侍女

北宋

位于山西太原市晋祠聖母殿。

晋祠聖母殿建于北宋天聖元年（公元1023年）。聖母像坐床背後有太原府人呂吉北宋元祐二年（公元1087年）墨書題記。聖母邑姜爲西周武王之妻，成王和唐叔虞之母，在宋代被封爲主宰晋水的昭濟聖母。聖母坐于雕鳳的大床上，背後有雲水大屏。

彩繪泥塑聖母像

北宋
位于山西太原市晋祠聖母殿。

聖母頭戴鳳冠，簪鳳釵，身着霞帔，下着蔽膝，邊緣繡黼文。

彩繪泥塑侍女立像

北宋

位于山西太原市晋祠聖母殿南壁東起第二人。

侍女頭裹紅色包髻，着藍色窄袖長袍，披巾垂下。雙手握巾。

彩繪泥塑侍女立像

北宋

位于山西太原市晋祠聖母殿左側龕外。

侍女頭裹紅色包髻，着綠色襦和裙，肩搭披巾。

彩繪泥塑侍女立像

北宋

位于山西太原市晋祠聖母殿南壁東起第三人。

侍女頭裹綠色包髻，着綠色窄袖袍，內穿紅裙，叉手而立。

彩繪泥塑侍女立像

北宋

位于山西太原市晋祠聖母殿南壁東起第五人。

侍女頭裹紅色包髻，着藍襦綠裙，繫綠色腰帶。

彩繪泥塑侍女立像

北宋

位于山西太原市晋祠聖母殿南壁西起第二人。

侍女頭裹紅色包髻，着綠襦紫裙，手中所持之物已失。

彩繪泥塑宦官像（局部）

北宋

位于山西太原市晋祠聖母殿南壁西起第七人。

宦官頭戴幞頭，着圓領袍，叉手而立。

遼北宋西夏金南宋（公元九一六年至公元一二七九年）

彩繪泥塑侍女立像

北宋

位于山西太原市晋祠聖母殿北壁東起第一人。

侍女頭裹紅色包髻，着藍襦紅裙，雙手捧印。

彩繪泥塑侍女立像

北宋

位于山西太原市晋祠聖母殿北壁西起第二人。

侍女頭裹綠色包髻，着紅襦黃裙，雙手持如意。

遼北宋西夏金南宋（公元九一六年至公元一二七九年）

彩繪泥塑侍女立像

北宋

位于山西太原市晋祠聖母殿北壁西起第三人。
侍女頭梳雙髻，着藍襦淺藍色裙，右手持巾，左手原
托一物。

彩繪泥塑侍女立像

北宋

位于山西太原市晋祠聖母殿北壁西起第四人。
侍女頭裹紅色包髻，着綠色裙，雙手抱胸。

彩繪泥塑女官立像

北宋

位于山西太原市晋祠聖母殿西壁北起第二人。

女官戴幞頭，着圓領窄袖衫，束革帶，雙手捧盒。

彩繪泥塑侍女立像

北宋

位于山西太原市晋祠聖母殿西壁北起第三人。

侍女裹紅色包髻，着綠襦藍裙，雙手原應持一棒狀物。

遼北宋西夏金南宋（公元九一六年至公元一二七九年）

彩繪泥塑觀世音菩薩像

北宋

位于山西長子縣崇慶寺三大士殿正壁。

高257厘米。

崇慶寺三大士殿殿內設方壇，壇上塑觀世音、文殊和普賢三菩薩，兩側塑十八羅漢。中間騎麒麟者爲觀世音菩薩，右側騎象者爲普賢菩薩，左側騎獅者爲文殊菩薩。據佛壇題記，可知塑像爲北宋元豐二年（公元1079年）塑。

圖中觀世音菩薩戴寶冠，袒上身，披帔帛，下身着裙，騎麒麟。

彩繪泥塑文殊菩薩像
北宋

位于山西長子縣崇慶寺三大士殿正壁。
文殊菩薩戴高冠，倚坐于獅背上。

彩繪泥塑普賢菩薩像

北宋

位于山西長子縣崇慶寺三大士殿正壁。
普賢菩薩半跏坐于象背上。

彩繪泥塑羅漢像
北宋
位于山西長子縣崇慶寺
三大士殿。
羅漢爲老者形象，作沉
思狀。

彩繪泥塑羅漢像
北宋
位于山西長子縣崇慶寺
三大士殿。
羅漢爲青年形象，雙目
前視。

彩繪泥塑羅漢像

北宋

位于山西長子縣崇慶寺三大
士殿。

羅漢形體肥碩，笑容可掬。

彩繪泥塑羅漢像

北宋

位于山西長子縣崇慶寺三大
士殿。

羅漢爲老者形象，體瘦。

彩繪泥塑菩薩像

北宋

位于山西長子縣法興寺圓覺殿。

法興寺圓覺殿建于北宋元豐三年（公元1080年）。殿

内佛壇上現存塑像十九身，其中以十二圓覺菩薩最佳。此菩薩爲十二圓覺之一，頭梳高髻，結跏趺坐于蓮臺上。

遼北宋西夏金南宋（公元九一六年至公元一二七九年）

彩繪泥塑菩薩像
北宋
位于山西長子縣法
興寺圓覺殿。
十二圓覺之一。菩
薩梳高髻，袒上
身，飾瓔珞，下着
裙。舒相坐姿坐于
蓮座上。

彩繪泥塑菩薩像

北宋

位于山西長子縣法興寺圓覺殿。

十二圓覺之一。菩薩梳高髻，倚坐，雙足踏蓮花。

彩繪泥塑菩薩像

北宋

位于山西長子縣法興寺圓覺殿。

十二圓覺之一。菩薩袒胸，飾瓔珞，舒相坐。

彩繪泥塑十八羅漢像

北宋

位于江蘇蘇州市吳中區甪直鎮保聖寺。

保聖寺羅漢殿建于北宋大中祥符年間（公元1008－1016年）。現存羅漢塑像九身。

彩繪泥塑影壁羅漢坐像
北宋
位于江蘇蘇州市吳中區甪直鎮保聖寺。
羅漢爲梵僧形象，濃眉，絡腮鬍鬚。

彩繪泥塑影壁羅漢坐像
北宋
位于江蘇蘇州市吳中區甪直鎮保聖寺。
羅漢爲梵僧形象，仰首上望。

銅千手觀音立像

北宋

位于河北正定縣隆興寺大悲閣。

高2200厘米。

原有四十二臂，除當胸合掌二臂爲原物外，其餘四十臂均爲清末以木臂補之。

石雕伎樂天

北宋

位于河北正定縣隆興寺大悲閣。

高45厘米。

伎樂天半跏坐于蓮座上，帔帛飛揚，雙手執笙吹奏。

石雕伎樂天

北宋

位于河北正定縣隆興寺大悲閣。

高49厘米。

伎樂天束髻，面相豐滿，長袖飛舞。

石雕力士像

北宋

位于河北正定縣隆興寺大悲閣須彌壇下部。

高65厘米。

力士二身，位于蓮臺下，束髻、袒身，僅着短褲，蹲立，作負重狀。

遼北宋西夏金南宋（公元九一六年至公元一二七九年）

石雕佛倚坐像

北宋

山西萬榮縣徵集。

高120厘米。

佛倚坐于束腰方座上，雙足踩蓮踏。像背面有北宋宣和
四年（公元1122年）解氏造像記。

現藏山西博物院。

貼金石雕阿彌陀佛坐像

北宋

浙江金華市萬佛塔塔基出土。

高38厘米。

阿彌陀佛結跏趺坐，高肉髻，螺髮，雙手作彌陀定印。

現藏浙江省博物館。

石雕迦葉像

北宋

高167厘米。

迦葉形體肥胖，雙眉緊鎖，雙手拱于胸前。

現藏上海博物館。

石雕阿難像

北宋

高153厘米。

阿難雙手置于腹前，左手持玉環。

現藏上海博物館。

石雕天王像

北宋

河南鄭州市開元寺塔基出土。

左右像均高80厘米。天王身着鎧甲，手持劍。一天王足穿靴，一天王足穿草履。兩像均殘留彩繪和金箔痕迹。開元寺塔基同出舍利函有北宋開寶九年（公元976年）題記。

現藏河南省鄭州市博物館。

石雕力士像

北宋

河南鄭州市開元寺塔基出土。

左像高76、右像高78厘米。

力士裸上身，下身着裳，左手持金剛杵。兩像均殘留彩繪和金箔痕迹。

現藏河南省鄭州市博物館。

石雕冥府十王造像碑

北宋

高171、寬49厘米。

共二石，選一。每石各開五龕，龕內雕十王及脅侍像。四龕冥王名已磨泐，另六龕冥王名與僞經《佛説閻羅王授記經》相合。

現藏河南省鞏義市鞏縣石窟寺陳列室。

鎏金銅佛坐像

北宋

江蘇蘇州市瑞光寺塔出土。

高18.5厘米。

佛着袒右袈裟，手作禪定印。

現藏江蘇省蘇州博物館。

鎏金銅十一面觀世音菩薩像

北宋

江蘇蘇州市雲岩寺虎丘塔出土。

高24.3厘米。

菩薩右手持楊枝，左手提净瓶，赤足立于蓮座上。

現藏江蘇省蘇州博物館。

鎏金銅地藏菩薩像

北宋

江蘇蘇州市瑞光寺塔出土。

高18.3厘米。

地藏菩薩爲比丘形象，右手托寶珠，半跏坐于“宣”字形座椅上，左足踏蓮花。座椅下有木製基座。

現藏江蘇省蘇州博物館。

鎏金銅水月觀音坐像

北宋

浙江金華市萬佛塔塔基出土。

高49.8厘米。

菩薩坐于岩石上，戴化佛高寶冠、項圈，挂長瓔珞，身繞帔帛，座下方置一净瓶。

現藏中國國家博物館。

鎏金銅菩薩立像

北宋

浙江金華市萬佛塔塔基出土。

高18.8厘米。

菩薩束高髻，袒上身，挂長瓔珞，身繞帔帛，右手托一桃形物，赤足而立。

現藏浙江省博物館。

鎏金銅地藏菩薩坐像

北宋

浙江金華市萬佛塔塔基出土。

高45.5厘米。

地藏菩薩爲比丘裝束，半跏坐，戴項圈，内着僧祇支，外披雙領下垂式袈裟。

現藏浙江省博物館。

鎏金銅天王像

北宋

河北定州市静志寺塔基地宮出土。

高15.5厘米。

天王頭戴兜鍪，身着戰甲，外披氅，手執金剛杵，足下踏二地鬼。

現藏河北省定州市博物館。

鎏金銅力士像

北宋

河北定州市静志寺塔基地宮出土。

高15厘米。

力士戴冠，寶繒上揚，瞪目齜牙，裸上身，繞帔帛，右手持兵器。

現藏河北省定州市博物館。

鐵守護神將像

北宋
位于河南登封市中岳廟。
分別高260和254厘米。

中岳廟崇聖門東北古神庫四隅，放置四尊守護神將，
鑄造于北宋治平元年（公元1064年），為中國現存形
體最大的鐵製人像。選二。

遼北宋西夏金南宋（公元九一六年至公元一二七九年）

鐵守護神將像

北宋

位于山西太原市晋祠金人臺。

高225厘米。

晋祠共有四尊鐵人，鑄造年代不同，此尊像鑄于北宋紹聖四年（公元1097年）。

鐵蹲獅像

北宋

位于山西太原市晋祠。

高150厘米。

獅胸前有鈴，腋下有幼獅。鑄于北宋政和八年（公元1118年）。

鐵羅漢像

北宋

山西太原市徵集。

高82厘米。

羅漢盤坐，右手撫腿，左手握拳置于腹前。現藏山西博物院。

木雕羅漢坐像

北宋

廣東韶關市曲江區南華寺發現。

高54.5厘米。

羅漢着交領袈裟，半跏坐，臉作沉思狀。座下方有北宋慶曆七年（公元1047年）題記。

現藏故宮博物院。

木雕羅漢坐像

北宋

廣東韶關市曲江區南華寺發現。

高52.5厘米。

羅漢着交領寬袖袈裟，蜷腿而坐，雙手捧經卷。座下方有北宋慶曆七年（公元1047年）題記。

現藏廣東省博物館。

木雕觀世音菩薩坐像

北宋

高118厘米。

觀音菩薩束高髻，花冠中有化佛，袒上身，戴項圈，斜披絡腋，舒腿而坐。

現藏美國紐約大都會博物館。

漆金彩繪木雕觀世音菩薩坐像
北宋
高92厘米。
觀世音菩薩舒相坐，戴化佛冠，着偏衫，額上
有白毫。
現藏上海博物館。

彩繪木雕菩薩坐像

北宋

高200厘米。

菩薩舒相坐，頭戴高花冠，右手持蓮蕾。

現藏美國私人處。

木雕力士立像

北宋

河北定州市静志寺塔基地宫出土。

左像高18.8、右像高18.7厘米。

力士二身，束髻，裸上身，下束戰裙，手執金剛杵，身體扭曲，形象凶猛。

現藏河北省定州市博物館。

木雕侍者立像

北宋

出于山西太原市真武廟。

高115厘米。

侍者頭上束髻，身穿寬大袍服，雙手殘。

現藏山西博物院。

貼金木雕天王立像

北宋

浙江瑞安市仙岩寺慧光塔發現。

高12.9厘米。

天王身着甲胄，繞帔帛，左手托珠，右手執劍，脚着戰
靴，面目威嚴。

現藏浙江省博物館。

瓷菩薩像

北宋
浙江溫州市白象塔出土。
高24厘米。
菩薩頭戴花鬘冠，挽高髻，眉間有白毫。像前栖一隻鴿子。
現藏浙江省溫州市博物館。

夾紵佛坐像

北宋
高99.5厘米。
佛着袒右袈裟，結跏趺坐，手部殘。宋代寺院造像以泥木鐵石像爲多，夾紵造像極少。
現藏美國華盛頓弗利爾美術館。

遼北宋西夏金南宋（公元九一六年至公元一二七九年）

彩繪泥塑佛頭

西夏

寧夏賀蘭縣宏佛塔發現。

高36厘米。

面部敷白粉，眼珠用黑色釉料嵌填，眼下黑色淚痕爲釉料滴流所致。

現藏寧夏博物館。

彩繪泥塑佛頭

西夏

寧夏賀蘭縣宏佛塔發現。

高29.5厘米。

眼珠爲黑色釉料圓球鑲嵌；面部敷粉。

現藏寧夏博物館。

彩繪泥塑羅漢像
西夏
寧夏賀蘭縣宏佛塔發現。
高63.5厘米。
羅漢外着袒右袈裟，內穿交領衣，雙手置于膝上，結跏
趺坐。
現藏寧夏博物館。

彩繪泥塑羅漢像
西夏
寧夏賀蘭縣宏佛塔發現。
高65.5厘米。
羅漢身穿袈裟，袈裟用黑色襯底，腹部繪白色團花。
現藏寧夏博物館。

彩繪泥塑羅漢頭像
西夏
寧夏賀蘭縣宏佛塔發現。
高17.2厘米。
羅漢爲中年形象，面部敷粉。
現藏寧夏回族自治區西夏博物館。

彩繪泥塑羅漢頭像
西夏
寧夏賀蘭縣宏佛塔發現。
高21.7厘米。
羅漢爲老者形象，面部敷粉。
現藏寧夏回族自治區西夏博物館。

彩繪泥塑天官像

西夏
寧夏青銅峽市一百零八塔001號塔發現。
高31厘米。
天官頭戴冠，身穿交領長袍，雙手持笏。
現藏寧夏博物館。

彩繪泥塑天官像

西夏
寧夏青銅峽市一百零八塔001號塔發現。
高31厘米。
天官頭戴冠，身穿交領長袍，手持笏板。
現藏寧夏博物館。

彩繪泥塑菩薩像

西夏

內蒙古額濟納旗綠城佛寺遺址出土。

高64厘米。

菩薩頭戴花冠，頸及雙臂戴飾物，上唇部繪鬚。

現藏內蒙古博物院。

彩繪泥塑布袋和尚像

西夏

內蒙古額濟納旗綠城佛寺遺址出土。

高13.5厘米。

布袋和尚笑面，大腹，右手捧腹，左手置于布袋
上。像表面施淺彩。

現藏內蒙古博物院。

鎏金銅普賢菩薩像
西夏
寧夏銀川市新華街出土。
高61.5厘米。

菩薩頭戴花冠，身飾瓔珞，手持如意，結跏趺坐于蓮座上。座下爲一頭身披火雲紋蟠龍戲珠圖案披氈的大象。現藏寧夏博物館。

遼北宋西夏金南宋（公元九一六年至公元一二七九年）

鎏金銅天王像

西夏

寧夏銀川市新華街出土。

高57.5厘米。

天王頭戴寶冠，身着鎧甲，足踏山岳座，右手原似握有兵器。

現藏寧夏博物館。

鎏金銅韋馱像

西夏

寧夏銀川市新華街出土。

高58厘米。

韋馱爲南方增長天八大神將之一。戴盔着甲，雙手合十，雙臂架降魔杵。

現藏寧夏博物館。

鎏金銅寒山拾得像

西夏

寧夏銀川市新華街出土。

寒山像高55、拾得像高56厘米。

寒山、拾得爲唐代僧人。寒山行爲怪誕，近于顛狂，與國清寺僧人拾得爲友。相傳寒山、拾得爲文殊、普賢菩薩化身，清代封二人爲"和合二聖"。寒山衣着襤褸袈裟，左肩斜挎結繩串聯的五個葫蘆，右腰胯下挂一寶囊。拾得亦着襤褸袈裟，右肩斜挎結繩串聯的五個葫蘆，左腰胯下挂一寶囊，左手提一笤帚。

現藏寧夏博物館。

鎏金銅寒山像

鎏金銅拾得像

427

遼北宋西夏金南宋（公元九一六年至公元一二七九年）

彩繪泥塑毗盧遮那佛像

金

位于山西大同市善化寺大雄寶殿。

善化寺大雄寶殿始建于遼代，金代天會、皇統年間（公元1123—1149年）重修。殿內塑像三十三身。佛結跏趺坐于蓮座上，蓮座鑲蓮瓣、串珠和獅首等裝飾。

彩繪泥塑迦葉像

金

位于山西大同市善化寺大雄寶殿。

迦葉爲老者形象，拱手而立。

彩繪泥塑阿難像

金

位于山西大同市善化寺大雄寶殿。

阿難爲青年形象，雙手合十而立。

遼北宋西夏金南宋（公元九一六年至公元一二七九年）

彩繪泥塑脅侍菩薩像

金

位于山西大同市善化寺大雄寶殿。

菩薩戴三葉冠，袒上身，下着裙。

彩繪泥塑地天像

金

位于山西大同市善化寺大雄寶殿。

地天作菩薩裝，頭戴花鬘冠。

彩繪泥塑韋馱天像

金

位于山西大同市善化寺大雄寶殿。

韋馱天戴盔着甲，右手持降魔杵。

彩繪泥塑火天像

金

位于山西大同市善化寺大雄寶殿。

火天頭髮乍起，似火焰狀，內着甲，外披胸衣，右手
持劍。

遼北宋西夏金南宋（公元九一六年至公元一二七九年）

彩繪泥塑摩利支天像
金
位于山西大同市善化寺大雄寶殿。

摩利支天作菩薩裝，一頭六臂，二主臂于身前合掌，上二臂上舉，原應是托舉日月，中左臂持三鈷杵，中右臂持短法器。

彩繪泥塑菩提樹天像

金

位于山西大同市善化寺大雄寶殿。

菩提樹天作菩薩裝，雙手原應持一株菩提樹。

彩繪泥塑伊舍那天像

金

位于山西大同市善化寺大雄寶殿。

伊舍那天一面六臂，手中分別持金剛杵和法器等。

彩繪泥塑羅刹天像

金

位于山西大同市善化寺大雄寶殿。
羅刹天戴盔着甲，右手持劍。

彩繪泥塑大吉祥功德天像

金

位于山西大同市善化寺大雄寶殿。

功德天雙手捧經卷。

彩繪泥塑北方天王像

金

位于山西大同市善化寺大雄寶殿。

天王頭戴八方冠，冠上有坐佛，左手原應托一塔。

彩繪泥塑阿彌陀佛像

金
位于山西朔州市崇福寺彌陀殿。

崇福寺彌陀殿建于金皇統三年（公元1143年）。佛結跏趺坐于蓮臺上，雙手作轉法輪印（已殘）。

彩繪泥塑脅侍菩薩像

金

位于山西朔州市崇福寺彌陀殿。

菩薩頭戴花冠，形體高大。

彩繪泥塑脅侍菩薩像

金

位于山西朔州市崇福寺彌陀殿。

菩薩頭戴花冠，胸前佩精美項飾。

彩繪泥塑天王像

金

位于山西朔州市崇福寺彌陀殿。

天王頭戴兜鍪，身着鎧甲，有火焰狀頭光。

彩繪泥塑文殊菩薩像

金

位于山西五臺縣佛光寺文殊殿。

文殊菩薩頭戴花冠，舒相坐于獅背上，手持如意。

石雕佛坐像

金
山西交城縣白雲寺徵集。
高181厘米。
佛高肉髻，着雙領下垂式袈裟。座上有金泰和二年（公元1202年）造像記。
現藏山西博物院。

彩繪泥塑東岳聖母坐像

金
位于山西晋城市東岳廟大齊殿。
聖母頭戴鳳冠，袖手而坐。

遼北宋西夏金南宋（公元九一六年至公元一二七九年）

彩繪木雕觀世音菩薩像

金

高190.5厘米。

菩薩頭戴化佛冠，袒上身，下着裙。像旁有"時明昌六年南步況村□行□請到平陽府洪洞縣賈顏記筆"題記，明昌六年即公元1195年。

現藏加拿大多倫多安大略皇家博物館。

漆金彩繪木雕大日如來像

金

高130厘米。

大日如來戴寶冠，着菩薩裝。

現藏上海博物館。

加彩青白瓷觀世音菩薩坐像

南宋

高25.6厘米。

菩薩頭戴化佛寶冠，左手撫膝，右手作手印。座下有南宋淳祐十一年（公元1251年）墨書。

現藏上海博物館。

瓷道教人物像

南宋

浙江德清縣乾元山吳奧墓出土。

高25厘米。

人物束髮戴冠，身披長衫，右手持靈芝。身旁小鹿仰頭上望。

現藏浙江省德清縣博物館。

銅文殊菩薩像

宋

高17.2厘米。

菩薩頭梳高髻，左手托瓶，坐于獅背上的蓮座上。獅旁
有一馴獅人。

現藏故宮博物院。

銅普賢菩薩像

宋

高17.8厘米。

菩薩坐于象背上的蓮座上。象旁有象奴一人。

現藏故宮博物院。

石雕經幢
大理國
位于雲南昆明市拓東路原地藏寺內。

高800厘米。

幢七級八面，呈寶塔形，上雕刻各種造像二百餘身。

石雕經幢基座

大理國
位于雲南昆明市拓東路原地藏寺內。
高110厘米。
浮雕海水紋及四組二龍戲珠圖案。

石雕增長天王像

大理國
位于雲南昆明市
拓東路原地藏寺
內經幢第一層。
高200厘米。
天王頭戴七寶
冠，手持短劍，
足踏夜叉。

石雕廣目天王像

大理國

位于雲南昆明市拓東路原地藏寺內經幢第一層。

高200厘米。

天王穿甲戴冠，雙手握拄鉞斧，足踏夜叉。

石雕持國天王像

大理國

位于雲南昆明市拓東路原地藏寺內經幢第一層。

高200厘米。

天王頭戴兜鍪，手持大翎羽箭，足踏夜叉。

石雕力士像

大理國

位于雲南昆明市拓東路原地藏
寺內經幢第二層。

力士二身，戴低花冠，袒上
身，下着牛鼻裙。

石雕水月觀音像

大理國

雲南大理市崇聖寺主塔出土。

高16.2厘米。

菩薩束高髻，游戲坐姿。背光爲銀質鏤花，插于石座上。

現藏雲南省博物館。

鎏金銅楊枝觀世音菩薩像

大理國

雲南大理市弘聖寺塔出土。

高13厘米。

菩薩頭戴天冠，束高髮髻，袒上身，下着裙，身繞帔帛，右手持楊枝。

現藏雲南省大理白族自治州博物館。

銅地藏菩薩像

大理國
雲南大理市弘聖寺塔出土。
高8厘米。
地藏右手持錫杖，左手托寶珠。
現藏雲南省大理白族自治州博物館。

鎏金銅大黑天像

大理國
雲南大理市崇聖寺主塔出土。
高15.4厘米。
大黑天三頭六臂，六手各執法器。
現藏雲南省博物館。

鎏金銅阿嵯耶觀世音菩薩像

大理國

雲南省徵集。

高49厘米。

觀音頭戴化佛冠，袒上身，下着裙。原座已失。

現藏雲南省博物館。

金阿嵯耶觀世音菩薩像

大理國

雲南大理市崇聖寺主塔出土。

高28厘米。

觀音像爲金製，背光爲銀製。觀音戴化佛冠，腰束花形帶，下着大裙。原赤足立于座上，座已失。

現藏雲南省博物館。

銅强巴佛坐像

公元12—13世紀

西藏札達縣東嘎寺出土。

高28厘米。

强巴佛，即未來佛彌勒。佛螺髮，眉間有白毫，
着袒右袈裟，手掌和足掌刻法輪。
現藏西藏博物館。

遼 北 宋 西 夏 金 南 宋（公元九一六年至公元一二七九年）

銅阿彌陀佛坐像

公元12−13世紀

高37.5厘米。

佛着菩薩裝，戴寶冠，結跏趺坐于蓮座上。身上飾物以紅銅、銀綫鑲嵌。

現藏中國文物信息咨詢中心。

銅蓮花手觀世音菩薩立像

公元12−13世紀

高49厘米。

菩薩戴高冠，袒上身，下着裙，臂上纏繞蓮花。

現藏西藏博物館。

遼北宋西夏金南宋（公元九一六年至公元一二七九年）

彩繪泥塑金剛勇士像

公元12–13世紀
西藏阿里地區出土。
高19厘米。
金剛束髮戴冠，佩大耳璫，袒上身，戴項飾、臂飾和腕
飾，下身着裙，右手持金剛杵。
現藏西藏博物館。

石雕法王像

公元12–13世紀
高39.2厘米。
法王有頭光和身光，結跏趺坐于蓮臺上，左手托鉢。
現藏西藏博物館。

彩繪泥塑二十八宿張月鹿像
元

位于山西晋城市玉皇廟西廡二十八宿第一身。

玉皇廟西廡有元塑二十八宿和十二元辰像，二十八宿像均高180厘米，二十三身保存完好。

張月鹿束髮高髻，右手托法器。身下左側小鹿仰首上望。

彩繪泥塑二十八宿昴日鷄像
元

位于山西晋城市玉皇廟西廡二十八宿第五身。

昴日鷄戴高冠，右手托日輪，日輪内繪一金烏。

彩繪泥塑二十八宿女土蝠像

元
位于山西晋城市玉皇廟西廡二十八宿第九身。

女土蝠爲老者形象，左手中出一縷雲氣，雲氣上飛一蝠。

彩繪泥塑二十八宿斗木獬像
元

位于山西晋城市玉皇廟西廡二十八宿第十身。
斗木獬作忿怒狀，雙手持圭。身右側立一獬。

元（公元一二七一年至公元一三六八年）

彩繪泥塑二十八宿虛日鼠像
元

位于山西晋城市玉皇廟西廡二十八宿第十九身。
虛日鼠爲中年婦人形象，右手托一鼠，左手作保護狀。

彩繪泥塑二十八宿胃土雉像
元

位于山西晋城市玉皇廟西廡二十八宿第二十二身。
胃土雉頭戴風帽，身着大氅，右手撫雉。

元（公元一二七一年至公元一三六八年）

彩繪泥塑二十八宿參水猿像

元

位于山西晋城市玉皇廟西廡二十八宿第二十四身。

參水猿爲婦人形象，頭梳高髻，左腿抬起，雙手抱左膝。身左側有一猿。

彩繪泥塑二十八宿翼火蛇像
元

位于山西晋城市玉皇廟西廡二十八宿第二十七身。
翼火蛇作勇夫形象，怒目圓睜，右手高舉一蛇。

彩繪泥塑十二元辰像

元

位于山西晋城市玉皇廟元辰真君殿。

元辰頭戴五梁通天冠，冠上殘留羊形標志，可知爲羊
屬元辰。

彩繪泥塑十二元辰像

元

位于山西晋城市玉皇廟元辰真君殿。

元辰頭戴五梁通天冠，冠上屬相標志已殘。

彩繪泥塑侍女像
元

位于山西晋城市玉皇廟玉皇殿。

侍女頭束高髻，手中各托物品。

元（公元一二七一年至公元一三六八年）

彩繪泥塑侍女像
元

位于山西晋城市玉皇廟玉皇殿。
左側侍女托印，右側侍女捧珠。

彩繪泥塑阿彌陀佛像

元

位于山西新絳縣福勝寺彌陀殿。

福勝寺彌陀殿金代重建，元至正十四年（公元1354年）增補修建。阿彌陀佛結跏趺坐于蓮座上，兩旁脅侍觀世音和大勢至菩薩。

元（公元一二七一年至公元一三六八年）

彩繪泥塑大勢至菩薩像

元

位于山西新絳縣福勝寺彌陀殿。

大勢至菩薩爲阿彌陀佛右側脅侍菩薩。

彩繪泥塑觀世音菩薩像

元

位于山西新絳縣福勝寺彌陀殿。

觀世音菩薩爲阿彌陀佛左側脅侍菩薩。

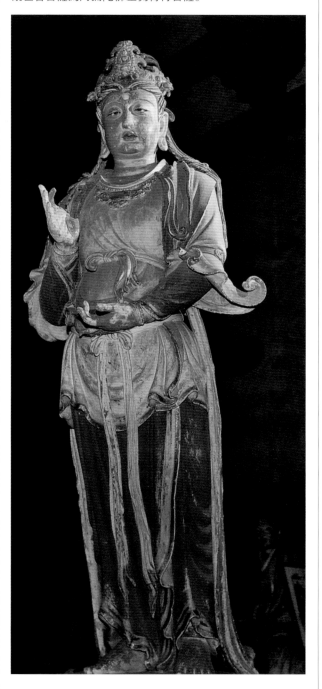

彩繪泥塑渡海觀音菩薩像

元

位于山西新絳縣福勝寺彌陀殿阿彌陀三尊像背面。

菩薩赤足立于蛟龍之上，乘浪而來，旁有善財童子作禮拜狀。

元（公元一二七一年至公元一三六八年）

彩繪泥塑明王像

元

位于山西新絳縣福勝寺彌陀殿阿彌陀三尊像背面。

明王三面六臂，頭髮倒豎，呈忿怒相。胸前繞一蛇，手中持法器。

彩繪泥塑明王像

元

位于山西新絳縣福勝寺彌陀殿阿彌陀三尊像背面。
明王三面六臂，頭髮倒竪，呈忿怒相。

彩繪泥塑脅侍菩薩像

元

位于山西洪洞縣廣勝寺上寺彌勒殿。

菩薩戴高冠，袒上身，斜披絡腋，兩肩披帛，下着裙，赤足立于蓮臺上，臺下爲一猛獸。

彩繪泥塑脅侍菩薩像

元

位于山西洪洞縣廣勝寺上寺彌勒殿。

菩薩戴高冠，袒上身，斜披絡腋，兩肩披帛，下着裙，手持蓮蕾，赤足立于蓮臺上，臺下爲一猛獸。

彩繪泥塑阿彌陀佛像

元

位于山西洪洞縣廣勝寺上寺毗盧殿。

毗盧殿殿內供奉毗盧、阿閦和阿彌陀三佛及脅侍菩薩和天王等。阿彌陀佛結跏趺坐于蓮座上。座下有束腰高臺，佛身後有華麗背光。

彩繪泥塑普賢菩薩像

元

位于山西洪洞縣廣勝寺上寺毗盧殿毗盧佛右側。

菩薩高髻束花冠，赤足立于蓮臺上，白象負蓮臺。

彩繪泥塑觀世音菩薩像

元

位于山西洪洞縣廣勝寺上寺毗盧殿阿閦佛左側。

菩薩頭戴化佛花冠，身飾華麗瓔珞，赤足立于蓮臺上。

彩繪泥塑地藏菩薩像

元

位于山西洪洞縣廣勝寺上寺地藏殿。

地藏菩薩作儒士裝，舒相坐姿。兩旁脅侍二菩薩和二比
丘。像前左右還有閔公和道明和尚像。

彩繪泥塑佛坐像

元

位于山西洪洞縣廣勝寺上寺飛虹塔。

佛螺髮，着袒右袈裟，結跏趺坐于蓮臺上。左手撫膝，

右手舉于胸前。

彩繪泥塑文殊菩薩像
元

位于山西原平市惠濟寺大佛殿。
文殊菩薩上身着甲，下身穿裙，半跏趺坐于獅背上。

元（公元一二七一年至公元一三六八年）

彩繪泥塑天王像

元

位于山西原平市惠濟寺大佛殿。

天王着甲冑，怒目而視。

彩繪泥塑天王像

元

位于山西原平市惠濟寺大佛殿。

天王着甲冑，怒目而視。

彩繪泥塑侍者像

元

位于山西原平市惠濟寺大佛殿。

侍者短髮，雙手合十。

彩繪泥塑十二圓覺之普賢菩薩像

元

位于山西原平市惠濟寺觀音殿。

菩薩頭戴花鬘冠，交腳而坐。

彩繪泥塑十二圓覺之文殊菩薩像

元

位于山西原平市惠濟寺觀音殿。

菩薩頭戴花鬘冠，游戲坐姿。

彩繪泥塑十二圓覺之辯音菩薩像

元

位于山西原平市惠濟寺觀音殿。

菩薩頭戴花鬘冠，交脚而坐。

彩繪泥塑十二圓覺之清净慧菩薩像

元

位于山西原平市惠濟寺觀音殿。

菩薩頭戴花鬘冠，倚坐。

元（公元一二七一年至公元一三六八年）

石雕印度教毗濕奴像

元

位于福建泉州市開元寺。

直徑28厘米。

毗濕奴像四臂，左下手握棒，右下手握拳，左上手持法螺，右上手舉圓盤。兩旁爲其妻。

石雕印度教毗濕奴像

元

位于福建泉州市開元寺。

直徑28厘米。

毗濕奴八臂，各手執法螺、圓盤等法器，凶魔放置膝上，用雙手擘裂其肚皮。

石雕印度教獅子和獅身人面像（上圖）

元

位于福建泉州市開元寺。

右雕獅身人面像，人頭為螺髻，雙耳垂肩，獅身三脚着地，一脚稍抬起。左雕獅子，三脚立地，前脚翹起，頭作回盼狀。

石雕印度教獅子和獅身人面像

元

位于福建泉州市開元寺。

右雕獅子，三脚着地，一脚向前抬起，頭向前伸。左雕獅身人面像，頭有螺髻，兩耳垂肩，前右脚持一蓮花。

石雕印度教濕婆與林伽像

元

福建泉州市東海鄉下圍村出土。

高47、寬58厘米。

屋形方龕，龕頂正中爲鐘形雕刻裝飾，屋脊頂層雕獅子頭像。屋宇龕內正中爲塔狀磨盤即林伽，由盛開的蓮花承托。其左右各刻一濕婆像，頭戴寶冠，頸繞念珠，手腕套鐲環，左側像雙手合十，右側像執杵。

現藏福建省泉州市海外交通史博物館。

石雕印度教大象與林伽像（上圖）

元

福建泉州市後街白苟廟出土。

高49、寬70厘米。

右側浮雕大象，頭上戴一頂帽子，左側雕一棵樹，樹下磨盤即林伽，大象用鼻子向林伽獻花。

現藏福建省泉州市海外交通史博物館。

石雕印度教濕婆像

元

福建晉江市池店興濟亭出土。

高66、寬52、厚14厘米。

濕婆頭戴扇形冠，項戴念珠，右上手握達莫如鼓，左上手抓一條眼鏡蛇，右下手持長矛，左下手拿鈴鐸，左脚踩巨魔。濕婆右側爲其妻婆婆娣，左側爲七母神。

現藏福建省泉州市海外交通史博物館。

石雕印度教毗濕奴像

元

福建泉州市南教場出土。

高115厘米。

毗濕奴頭戴冠，耳長幾及肩。有四
臂，左上手持法螺，右上手持法
輪，左下手倚神杵，右下手伸出作
施無畏印（已殘），立于半月形蓮
花座上。

現藏福建省泉州市海外交通史
博物館。

石雕基督教天使像

元

福建泉州市南教場出土。

高50、底寬53.3厘米。

正中浮雕一趺坐于浮雲上的男性，頭戴三尖冠，身穿寬袖袍，雙手放置腹前捧一朵盛開的蓮花，蓮花承托一個小十字架。肩上有兩對展開的羽翼，羽翼後有飄帶。

現藏福建省泉州市海外交通史博物館。

石雕基督教天使像

元

福建泉州市通淮門小東門城基出土。

高27、寬74厘米。

正中雕十字架，由一束腰蓮花盤承托，托盤下有瓔珞下垂，左右各由一個飄帶天使雙手捧持。天使頭戴三尖冠，作輕盈飄飛狀。

現藏福建省泉州市海外交通史博物館。

石雕四天王像

元

位于北京昌平區居庸關雲臺。

高約280厘米。

元至正五年（公元1345年）之前在居庸關建過街塔，現僅存基座，稱雲臺。手持琵琶者爲持國天王，拔劍者爲增長天王，持傘者爲多聞天王，手握蛇者爲廣目天王。

石雕四天王像之持國天王

石雕四天王像之多聞天王

石雕四天王像之增長天王

石雕四天王像之廣目天王

元（公元一二七一年至公元一三六八年）

石雕玄武大帝像
元

高132厘米。

玄武大帝光頭，着圓領長衣，盤足而坐。

現藏湖北省武當博物館。

貼金泥塑自在觀音菩薩像
元

高195厘米。

菩薩坐姿優雅，面容祥和。

現藏山西博物院。

銅佛坐像

元

高35.5厘米。

佛坐于孔雀身上，孔雀尾羽上竪成背光。

現藏日本私人處。

鎏金銅菩薩像

元

内蒙古額濟納旗出土。

高38厘米。

銅質鎏金，菩薩頭戴花鬘冠，髮髻高聳，雙目微閉，左膝盤屈，右膝彎曲，盤坐于蓮座之上，右手撫于右膝上。

現藏内蒙古博物院。

夾紵韋馱天像

元

原位于北京紫禁城慈寧宮大佛堂。

高206厘米。

韋馱頭戴盔，披戰甲，雙手合十，置金剛杵于手臂上。

現藏河南省洛陽白馬寺。

夾紵羅漢像

元

原位于北京紫禁城慈寧宮大佛堂。

高154厘米。

此羅漢爲嘎納嘎巴隆尊者，俗稱"獅子羅漢"，胡僧形象，雙手抱一幼獅。

現藏河南省洛陽白馬寺。

貼金彩繪木雕老君像

元

原位于山西平遥縣楊賢觀。

高206厘米。

老君頭戴五梁冠，雙手執圭（圭已失）。

現藏山西省平遥縣博物館。

瓷佛坐像

元

高41.3厘米。

佛螺髮，結跏趺坐。

現藏上海博物館。

青白瓷觀世音菩薩坐像

元

北京西城區定阜大街出土。

高65厘米。

菩薩頭戴低冠，胸前飾瓔珞。坐姿，右腿支
起，左腿下垂。

現藏首都博物館。

銅釋迦三尊及羅漢像

公元13－14世紀
高32、寬20厘米。
從底部蓮座上生出蓮莖，中心大蓮臺上坐釋迦牟尼佛，
佛兩旁立二弟子。其餘小蓮臺上爲羅漢和天王。
現藏西藏博物館。

銅文殊菩薩坐像

公元14世紀
高27.5厘米。
菩薩戴花冠，面部塗金，袒上身，下着裙，右手舉劍，
左臂繞蓮花。
現藏西藏博物館。

彩繪木雕釋迦佛坐像
明

位于山西洪洞縣廣勝寺上寺大雄寶殿。
佛着袒右袈裟，搭偏衫，結跏趺坐于蓮臺上。

彩繪木雕文殊菩薩像
明
位于山西洪洞縣廣勝寺上寺大雄寶殿。

菩薩束髻戴三佛冠，上身穿胸衣束帶，下着裙，結跏趺坐于蓮臺上，蓮臺由獅背負。

明清（公元一三六八年至公元一九一一年）

彩繪木雕牽獅獠蠻像
明
位于山西洪洞縣廣勝寺上寺大雄寶殿文殊菩薩前。
獠蠻爲文殊菩薩的牽獅者，頭束髻，肩搭披巾，絡腮
鬍鬚。

彩繪木雕牽象拂菻像
明
位于山西洪洞縣廣勝寺上寺大雄寶殿普賢菩薩前。
拂菻爲普賢菩薩的牽象者，頭束高髻，胡人形象。

彩繪泥塑力士像
明

位于山西平遥縣橋頭村雙林寺天王殿。
力士頭戴冠，怒目而視。左手按膝，右手端杵。

明清（公元一三六八年至公元一九一一年）

彩繪泥塑北方多聞天王像
明

位于山西平遥縣橋頭村雙林寺天王殿。

天王頭戴五幅額子高冠，身着鎧甲，右手原應托一塔。

彩繪泥塑梵天像
明

位于山西平遥縣橋頭村雙林寺天王殿。

梵天頭戴華麗鳳冠，雙手合十。

彩繪泥塑金剛手菩薩像

明
位于山西平遙縣橋頭村雙林寺天王殿。

天王殿内塑八大菩薩，此尊爲金剛手菩薩。菩薩戴高冠，全身殘留塗金痕迹。身後有華麗背光。

彩繪泥塑文殊菩薩像
明
位于山西平遥縣橋頭村雙林寺釋迦殿。
文殊菩薩束髮戴高冠，手持經卷。

彩繪泥塑普賢菩薩像
明
位于山西平遥縣橋頭村雙林寺釋迦殿。
普賢菩薩戴高花冠，手持蓮花。

彩繪泥塑渡海觀音像

明
位于山西平遥縣橋頭村雙林寺釋迦殿。

此渡海觀音又稱一葉觀音，觀音乘一葉蓮瓣渡海而來，四周羅漢踏獸座或蓮座護衛菩薩。

明清（公元一三六八年至公元一九一一年）

彩繪泥塑脅侍菩薩像

明

位于山西平遥縣橋頭村雙林寺大雄寶殿。

菩薩戴花冠，雙手作捧物狀。

彩繪泥塑脅侍菩薩像

明

位于山西平遥縣橋頭村雙林寺大雄寶殿。

菩薩戴花冠，雙手作捧物狀。

彩繪泥塑自在觀音像
明

位于山西平遙縣橋頭村雙林寺千佛殿。
觀音游戲坐于天衣座上，座下蟠龍游動。

彩繪泥塑韋馱像

明

位于山西平遥縣橋頭村雙林寺千佛殿自在觀音右側。

韋馱戴虎頭盔，身着鎧甲，肩搭虎頭披肩，右手握拳，左手原應持金剛杵。

彩繪泥塑觀世音傳經像

明

位于山西平遥縣橋頭村雙林寺千佛殿東壁。

觀世音菩薩頭戴高冠，身披瓔珞，斜坐于椅上講經，領經者雙手合十，虔誠聆聽。

彩繪泥塑準提觀音像
明

位于山西平遥縣橋頭村雙林寺菩薩殿。
準提觀音二十六臂，手中各持法器。

彩繪泥塑衆菩薩像

明

位于山西平遙縣橋頭村雙林寺菩薩殿北壁。

雙林寺菩薩殿四壁懸塑菩薩四百餘身。

彩繪泥塑羅漢像

明

位于山西平遥縣橋頭村雙林寺羅漢殿。

羅漢左手撫腿，右手指點。

彩繪泥塑羅漢像

明

位于山西平遥縣橋頭村雙林寺羅漢殿。

羅漢爲青年僧人形象，神態凝重。

彩繪泥塑羅漢與侍者像
明

位于山西平遥縣橋頭村雙林寺羅漢殿。
年老羅漢左手持杖，右手扶于年少比丘肩上。

彩繪泥塑羅漢像

明
位于山西靈石縣蘇溪村資壽寺羅漢殿。

資壽寺羅漢殿南北兩壁塑十六羅漢。此羅漢爲青年形象，口微張，作論辯狀。

彩繪泥塑羅漢像
明

位于山西靈石縣蘇溪村資壽寺羅漢殿。
羅漢爲老者形象。面部皺紋表現其飽經滄桑。

彩繪泥塑羅漢像
明

位于山西靈石縣蘇溪村資壽寺羅漢殿。
羅漢爲中年形象，左手撫一動物。

彩繪泥塑閻王像

明

位于山西靈石縣蘇溪村資壽寺地藏殿。

資壽寺地藏殿地藏菩薩兩側塑十殿閻王。此閻王手持卷宗，足踏小鬼。

彩繪泥塑閻王像

明

位于山西靈石縣蘇溪村資壽寺地藏殿。

閻王右手持筆，左手指點。

明清（公元一三六八年至公元一九一一年）

彩繪泥塑牛頭像

明

位于山西靈石縣蘇溪村資壽寺地藏殿。

牛頭和馬面塑于地藏殿入口兩側，是地獄的守衛。牛頭左臂繞蛇，右手持棍。

彩繪泥塑馬面像

明

位于山西靈石縣蘇溪村資壽寺地藏殿。

馬面張口大吼，左手殘，右手持棍。

彩繪泥塑天王像

明

位于山西新絳縣福勝寺彌陀殿。

天王戴花冠狀頭盔，身着鎧甲，手持長劍。

彩繪泥塑天王像

明

位于山西新絳縣福勝寺彌陀殿。

天王戴花冠狀頭盔，身着鎧甲，手持琵琶。

明清（公元一三六八年至公元一九一一年）

彩繪泥塑羅漢像

明

位于山西新絳縣福勝寺彌陀殿。

福勝寺彌陀殿兩側壁塑十八羅漢。此羅漢口微張，右食指伸向前，似在論辯。

彩繪泥塑羅漢像

明

位于山西新絳縣福勝寺彌陀殿。

羅漢爲梵僧形象，游戲坐姿。

彩繪泥塑羅漢像

明

位于山西新絳縣福勝寺彌陀殿。

羅漢口微張，右手二指指點。

明清（公元一三六八年至公元一九一一年）

彩繪泥塑藥師佛像
明

位于山西繁峙縣公主寺後大殿。
藥師佛螺髮，結跏趺坐于蓮臺上。

彩繪泥塑迦葉像

明

位于山西繁峙縣公主寺後大殿。

迦葉老者形象，拱手而立。

彩繪泥塑阿難像

明

位于山西繁峙縣公主寺後大殿。

阿難青年形象，合十而立。

明清（公元一三六八年至公元一九一一年）

彩繪泥塑梵天像

明

位于山西繁峙縣公主寺前殿毗盧佛右側。

梵天頭戴花冠，雍容華貴。

彩繪泥塑帝釋天像

明

位于山西繁峙縣公主寺前殿毗盧佛左側。

帝釋天頭戴進賢冠，爲文臣形象。

彩繪泥塑羅漢像

明
位于山西繁峙縣公主寺前殿。

公主寺前殿塑十八羅漢。此羅漢爲青年形象，作静修狀。

明清（公元一三六八年至公元一九一一年）

彩繪泥塑羅漢像

明

位于山西繁峙縣公主寺前殿。

羅漢爲老者形象，雙手抱一動物。

彩繪泥塑羅漢像

明

位于山西繁峙縣公主寺前殿。

羅漢爲梵僧形象，雙手按于膝上。

彩繪泥塑文殊菩薩像
明
位于山西五臺縣殊像寺大殿。

高900厘米。
文殊菩薩騎于獅背，身後背光華麗。

明清（公元一三六八年至公元一九一一年）

彩繪泥塑供養婦人像

明

位于山西五臺縣圓照寺大佛殿。

供養婦人頭戴華麗鳳冠，身着霞帔，立于蓮臺上。

彩繪泥塑供養人像

明

位于山西五臺縣圓照寺大佛殿。

供養人頭戴進賢冠，長袍大帶，立于蓮臺上。

彩繪泥塑群像

明

位于山西長治市觀音堂觀音殿北壁。

觀音堂觀音殿南北壁懸塑十二圓覺菩薩、二十四諸天、十八羅漢、眾菩薩、供養人以及道教和儒家的神、仙、帝、官等，共四百六十餘身。

明清（公元一三六八年至公元一九一一年）

彩繪泥塑菩薩和諸天群像
明

位于山西長治市觀音堂觀音殿南壁。
上層爲圓覺菩薩，下層爲諸天。

彩繪泥塑菩薩像
明
位于山西長治市觀音堂觀音殿。
菩薩戴花冠，雙手抱右膝。

彩繪泥塑天人像
明
位于山西長治市觀音堂觀音殿。
天人戴花冠，着天衣。

明清（公元一三六八年至公元一九一一年）

彩繪泥塑羅漢像

明

位于山西長治市觀音堂觀音殿。

羅漢身體枯瘦，面露笑容。

彩繪泥塑羅漢像

明

位于山西長治市觀音堂觀音殿。

羅漢身體肥碩，侍女攙扶其從門中走出，侍童在門外等候。

彩繪泥塑毗盧遮那佛像
明
位于山西隰縣千佛庵大雄寶殿。
千佛庵大雄寶殿正壁設五佛龕，分別供奉藥師佛、阿彌

陀佛、釋迦牟尼佛、毗盧遮那佛和彌勒佛。毗盧遮那佛與脅侍的文殊和普賢菩薩并稱"華嚴三聖"，佛身後塑有層樓，樓上列坐佛。

明清（公元一三六八年至公元一九一一年）

彩繪泥塑龍華三會

明

位于山西隰縣千佛庵大雄寶殿毗盧遮那佛龕上部。

壁面懸塑高大樓宇，中間穿插佛、菩薩和天神等，表現彌勒降生時的情景。

彩繪泥塑龕門
明

位于山西隰縣千佛庵大雄寶殿。
五個佛龕皆爲雙重龕門，外層龕門爲寶塔形。

明清（公元一三六八年至公元一九一一年）

彩繪泥塑菩薩群像
明

位于山西隰縣千佛庵大雄寶殿。
菩薩均立于蓮臺之上，頭戴花冠，胸佩瓔珞。

彩繪泥塑菩薩群像

彩繪泥塑弟子像
明

位于山西隰縣千佛庵大雄寶殿。
弟子雙手托鉢，身後一童子持壺而入。

明清（公元一三六八年至公元一九一一年）

彩繪泥塑文殊菩薩像
明

位于山西陽曲縣不二寺大雄寶殿。
文殊菩薩坐于獅背上，獅前有牽獅人。

彩繪泥塑天王像

明

位于山西陽曲縣不二寺大雄寶殿。

天王戴盔穿甲，右手持兵器。

彩繪泥塑天王像

明

位于山西陽曲縣不二寺大雄寶殿。

天王戴盔穿甲，右手持法器。

明清（公元一三六八年至公元一九一一年）

彩繪泥塑諸天像

明

位于北京海淀區大慧寺大悲殿。

大慧寺建于明正德八年（公元1513年）。大悲殿内沿兩面山墙和後檐墙塑二十八諸天像。

彩繪泥塑諸天像之一

彩繪泥塑諸天像之二

彩繪泥塑摩利支天和韋馱天像
明
位于北京海淀區大慧寺大悲殿。

摩利支天三面八臂，每面各有三目，八手或合十，或執法器。韋馱天雙手合十，臂架杵。

明清（公元一三六八年至公元一九一一年）

彩繪泥塑諸天像

明

位于北京海淀區大慧寺大悲殿。

從左至右爲梵天、伊舍那天、火天。梵天爲老者形象，手持笏板。伊舍那天二頭四臂，主頭額上有一竪眼，二手合掌，另二手持法器。火天紅臉膛，頭上飾火焰紋。

彩繪泥塑廣目天王像

明

位于北京海淀區大慧寺大悲殿。

廣目天王頭戴冠，身着鎧甲，右手握蛇。

彩繪泥塑帝釋天像

明

位于北京海淀區大慧寺大悲殿。

帝釋天女相，頭戴冠，雙手合十而立。

明清（公元一三六八年至公元一九一一年）

彩繪泥塑摩睺羅伽像

明

位于北京海淀區大慧寺大悲殿。

摩睺羅伽力士裝扮，上身赤裸，下着裙，脖子上纏一蛇。

彩繪泥塑辯才天像

明

位于北京海淀區大慧寺大悲殿。

辯才天八臂，八手或合十，或持法器。

彩繪泥塑群像

明

位于陝西藍田縣水陸庵大殿。

水陸庵大殿內，北山墻和南山墻懸塑大小尊像三千七百餘身，包括佛像、本生、經變和羅漢等。

彩繪泥塑神將像

明

位于陝西藍田縣水陸庵大殿。

神將位于墻壁的最下層，均手持兵器，呈忿怒狀。

彩繪泥塑渡海觀音像
明

位于四川新津縣觀音寺觀音殿。
觀音菩薩手持淨瓶，乘龍渡海而來。波濤中羅漢相隨。

明清（公元一三六八年至公元一九一一年）

木雕千手觀音菩薩像
明
位于四川平武縣報恩寺大悲殿。

高800厘米。
觀音菩薩多頭、多臂，手中多持法器。

琉璃金剛像
明

位于山西洪洞縣廣勝寺上寺飛虹塔。
金剛着甲冑，身下騎怪獸。

琉璃童子騎龍像
明

位于山西洪洞縣廣勝寺上寺飛虹塔。
童子騎于龍背，龍回首騰飛。

銅張三丰像

明

高141.5厘米。

張三丰爲明代道士。像束高髻，面相豐滿，着寬袖大袍，神情和藹。
現藏湖北省武當博物館。

鎏金銅阿閦佛像

明

高25.8厘米。

佛頭戴花冠，左手托金剛杵，右手作觸地印。有明宣德年（公元1426－1435年）款。

現藏故宮博物院。

鎏金銅藥師佛像

明

高85厘米。

佛肉髻頂部飾珠，右手拈藥丸置于右膝，左手結禪定印。蓮座上有明景泰元年（公元1450年）造像銘款。

現藏首都博物館。

鎏金銅佛坐像

明

高29.3厘米。

佛結跏趺坐于蓮座上，背光上部爲金翅鳥，兩側有飛龍、山羊、獅子和大象。

現藏河北省承德市避暑山莊博物館。

鎏金銅無量壽佛像

明

高25.5厘米。

頭戴寶冠，胸前挂瓔珞，雙手托寶瓶。

現藏故宫博物院。

明清（公元一三六八年至公元一九一一年）

銅觀世音菩薩坐像

明
高14厘米。
大衣邊緣鏨花嵌細銀絲，手爲另外安裝，可活動。
現藏首都博物館。

鐵羅漢像

明
高113厘米。
像有明弘治丁巳（即弘治十年，公元1497年）鑄銘。
現藏故宮博物院。

泥塑關羽像

明

原置于山西太原市關帝廟。

高168厘米。

關羽着黑色幞頭，面頰金色，着甲，外裹白邊綠袍，右臂肩胸部着甲外露，腰束帶，足蹬如意紋靴。右手握帶端，左手揚起，兩足叉立。

現藏故宮博物院。

瓷觀世音菩薩坐像

明

高19.1厘米。

觀音左手持如意，倚于獸頭圈椅扶手上。像後有"何朝宗"印。

現藏重慶市博物館。

明清（公元一三六八年至公元一九一一年）

瓷達摩渡海像

明

高42厘米。

達摩身披袈裟，雙手拱起，赤足立于波濤之上。像背鈐陰文印"何朝宗製"。

現藏重慶市博物館。

瓷道教人物像

明

高29厘米。

人物閉目含笑，盤膝而坐，雙臂相交置于几上，左手持經卷。人物身下爲山岩座，座上有立鶴和臥鹿。

現藏故宫博物院。

三彩閻羅王像

明

傳出于山西長治市。

高83.8、寬81.1厘米。

閻王瞪目齜牙，雙手握拳。像底有明嘉靖二年（公元
1523年）馬家製銘款。

現藏加拿大多倫多皇家安大略博物館。

明清（公元一三六八年至公元一九一一年）

鎏金銅千手千眼觀音菩薩像
公元14－15世紀
高17.5厘米。
菩薩十一面，多臂，手掌中有目。
現藏西藏博物館。

鎏金銅綠度母像
公元14－15世紀
高16.5厘米。
綠度母袒上身，蓮花開于肩部。寶冠、瓔珞、臂釧和手鐲等處鑲嵌綠松石。
現藏中國文物信息咨詢中心。

彩繪泥塑羅漢像

清
位于雲南昆明市筇竹寺。

筇竹寺五百羅漢由四川民間藝人黎廣修塑造，分別塑于大雄寶殿、天臺萊閣和梵音閣。選六身。

石雕張果老像

清

位于雲南昆明市西山龍門。

張果老爲民間傳説八仙之一，站于祥雲之上。

石雕鐵拐李像

清

位于雲南昆明市西山龍門。

鐵拐李爲八仙之首，雙手拄拐杖，背負一葫蘆。

木雕邁達拉佛像

清
位于北京雍和宮萬福閣。

高1800厘米。
此像據説是達賴七世從尼泊爾買來一棵大白檀香木，經四川運至北京精雕而成的。

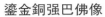

鎏金銅强巴佛像
清
位于西藏日喀則市扎什倫布寺。

高2670厘米。
此銅像是中國古代最大的銅佛像。此圖爲局部。

明清（公元一三六八年至公元一九一一年）

鎏金銅時輪壇城

清

位于西藏拉薩市布達拉宮紅宮時輪殿。
高290、底座周長1580厘米。

壇城中央爲象徵須彌山的樓閣，四周爲象徵四大部洲、八小部洲和日、月的塔殿。佛龕內有多種材質的造像四百餘身。此壇城原在江孜縣的覺囊平措林寺，後移至布達拉宮。

鎏金銅佛坐像

清

高224厘米。

此像原爲北京聖化寺主尊造像。佛螺髮，左手持禪定印，右手持觸地印。

現藏遼寧省旅順博物館。

鎏金銅無量壽佛樹
清
高74厘米。
佛樹的枝幹上有九尊
坐佛。
現藏河北省承德市
避暑山莊博物館。

鎏金銅四臂觀世音菩薩像
清
高26厘米。
菩薩四臂，前兩手于胸前合十，後兩手左持蓮花，右持念珠。
現藏首都博物館。

銅無量壽佛像
清
高51.5厘米。
佛爲菩薩裝，頭戴冠，手結禪定印。
現藏西藏博物館。

銅大威德金剛像

清

高26厘米。

此像九頭，三十四臂，十六腿。九頭表示九種鎮伏閻王經咒，正中的水牛頭象徵閻王，最高一頭爲文殊菩薩，象徵慈悲與和平。三十四臂和心、身、語一起象徵菩薩成道三十七道。十六腿象徵十六空，足下踏八獸、八飛禽、八天王和八女明王。

現藏西藏博物館。

嵌珠金菩薩像

清

高54厘米。

菩薩頭戴寶冠，面容俊美，
上身袒露，佩戴瓔珞及帛
巾，下着長短重裙，身
體兩側透雕流雲、花卉、
灌頂壺及護法輪等。
現藏故宮博物院。

明清（公元一三六八年至公元一九一一年）

金釋迦牟尼佛像

清

高95.5厘米。

佛手結轉法輪印，結跏趺坐于嵌珠蓮座上。

現藏故宮博物院。

金漆木雕觀世音菩薩像

清

高22厘米。

觀音高髻，戴帷帽，頭上雕化佛。左手支地，右手執佛珠搭于右膝。

現藏故宮博物院。

木雕儺堂戲龍王面具

清

出于貴州北部。

高32、寬17厘米。

儺堂戲主要流行于貴州，源于原始巫舞。儺堂戲的演出
是當地宗教祭祀活動的主要內容。

木雕儺堂戲蔡陽面具

清

出于貴州沿河土家族自治縣。

高32、寬15厘米。

此面具是儺堂戲《古城會》中的角色所戴。

明清（公元一三六八年至公元一九一一年）

漆布護法鬼王面具

清

高50、寬28厘米。

藏傳佛教舉行宗教法會時，喇嘛戴面具進行表演，這種面具稱爲羌姆（跳神）面具。此面具爲表演護法鬼王乃窮·多吉扎旦的面具。

現藏西藏自治區拉薩市布達拉宮。

漆布護法神面具

清

高46、寬30厘米。

此面具爲表演護法神貢布的面具。

現藏西藏自治區拉薩市布達拉宮。

年　表

（紅色字體爲本卷涉及時代）

新石器時代（公元前8000—公元前2000年）
 興隆窪文化（公元前6200—公元前5400年）
 城背溪文化（公元前6000—公元前5000年）
 磁山文化（公元前5400年—公元前5100年）
 河姆渡文化（公元前5000年—公元前4000年）
 仰韶文化（公元前5000年—公元前3000年）
 大溪文化（公元前4400年—公元前3300年）
 紅山文化（公元前4000年—公元前3000年）
 良渚文化（公元前3300年—公元前2200年）
 馬家窑文化（公元前3300年—公元前2100年）
 凌家灘文化（公元前4000年—公元前3000年）

夏（公元前21世紀—公元前16世紀）

商（公元前16世紀—公元前11世紀）

西周（公元前11世紀—公元前771年）

春秋（公元前770年—公元前476年）

戰國（公元前475年—公元前221年）

秦（公元前221年—公元前207年）

漢（公元前206年—公元220年）
 西漢（公元前206年—公元8年）
 新（公元9年—公元23年）
 東漢（公元25年—公元220年）

三國（公元220年—公元265年）
 魏（公元220年—公元265年）
 蜀（公元221年—公元263年）
 吳（公元222年—公元280年）

西晋（公元265年—公元316年）

十六國（公元304年—公元439年）

東晋（公元317年—公元420年）

北朝（公元386年—公元581年）
 北魏（公元386年—公元534年）
 東魏（公元534年—公元550年）
 西魏（公元535年—公元556年）
 北齊（公元550年—公元577年）
 北周（公元557年—公元581年）

南朝（公元420年—公元589年）
 宋（公元420年—公元479年）
 齊（公元479年—公元502年）
 梁（公元502年—公元557年）
 陳（公元557年—公元589年）

隋（公元581年—公元618年）

唐（公元618年—公元907年）

五代十國（公元907年—公元960年）

遼（公元916年—公元1125年）

宋（公元960年—公元1279年）
 北宋（公元960年—公元1127年）
 南宋（公元1127年—公元1279年）

西夏（公元1038年—公元1227年）

金（公元1115年—公元1234年）

元（公元1271年—公元1368年）

明（公元1368年—公元1644年）

清（公元1644年—公元1911年）